稼ぐ人は思い込みを捨てる。

みんなの常識から
抜け出して
日本の真実を見るスキル

坂口孝則

幻冬舎

0 はじめに

新型コロナウィルスが明らかにした私たちの弱さ

コンサルタントは馬鹿者の集まりかもしれない。私も例外ではない可能性がある。

新型コロナウィルスが中国を襲いはじめたのが2019年12月。そして、翌2020年。まだ牧歌的だった1月が嘘のように3月には日本にも多大な影響を及ぼしはじめた。

観光業、飲食店からはじまり、ひととひとの対面を前提とする業種すべてに広がった。

そのあたりから、私の仕事であるコンサルタントや士業のひとたちからも悲鳴があがってきた。

「仕事がすべてキャンセルになった」

「いまの契約が終了したら、継続はできなくなった」

コンサルタントは、クライアントの会社に出向き、議論を重ね、インタビューを繰り返し、なんらかの提案書をまとめあげる。あるいは集団にたいし講義をしたり、講演をしたりする。まさに3密の典型だ。

しかし、コンサルタントや士業は、東日本大震災のあと、口癖のように企業経営者にたいして「未曽有の危機に備えを」「リスクマネジメントこそ大事」と叫んできたはずだ。クライアントよりも、そのようなコンサルタント・士業が危機を迎えているのはとても象徴的だ。

なお、私はこの新型コロナウィルス危機において、行政からの公的な支援や助成金、補助金などを否定しない。むしろ実施するべきだろう。ただ、公的な支援とは別に、自由な経済活動を行う前提として、強い活動基盤が必要なはずなのだ。とくに、言葉や思考法で生きていたはずのコンサルタントや士業が、机上の空論で済ましてよいはずがない。

新型コロナウィルスは、大きな教訓を与えてくれた。その教訓とは、「思い込みを排除し、見たくない事実を見続けろ」という、目を背けたくなるものだ。その教訓の普遍性について考えていきたい。

主張①「街灯の下でカギを探すな」

好きな小咄《こばなし》がある。

ある男が、真っ暗な深夜0時に、一人、街灯の下でカギを探していた。ささやかな街灯が照らす道路で、カギを落としたと困っていた。そこに警官が通り掛かる。警官も一緒になって街灯の下を探した。それでも、どうしても見つからない。

「ほんとうに、カギを落としたんですか」

「実はここでは落としていません。落としたのは、あっちの暗闇のほうです」

男は、暗闇に入る勇気がなく、街灯に照らされた場所から離れられなかったのだ。

とても教訓的な話だと思う。人間は、見たくない現実を見続けられない。見続けるどころか、暗闇に入る勇気すらない。そこに問題が潜んでいると理解しつつ、どうしても見たい現実を見てしまう。街灯の下ではカギを落としていないにもかかわらず、明るい場所を求める。

だから、重要なのは「街灯の下でカギを探すな」と心しておくことだ。

私はコンサルティングの現場で、こういうことを顧客に質問する。

「いまの売上が半減したらどうしますか」

「いまのコストが倍増したらどうしますか」

「いまの顧客や調達先が潰れたらどうなりますか」

こういう質問はだいたい評判が悪い。危機ばかりを煽る間抜けと思われる。たいていの場合は「そこまで考えても仕方がないでしょう。えへへ」と薄ら笑いをもらう。しかし、ＳＡＲＳ、ＭＥＲＳ、新型インフルエンザ、新型コロナウィルス感染症などの疫病だけを見ても、それが数年に一度、売上の半減をもたらすのは自明だ。さらに日本では自然災害もある。巨大地震のリスクも高まっている。

また、数年前にネット広告に売上を依存している企業は多かったが、すぐさまネット広告費は倍増していった。まさに、薄ら笑いは、街灯の下でカギを探す態度にほかならない。

新型コロナウィルスは基礎疾患がある患者を重症化させるケースが多いという。なるほど、それであれば、**個人でも会社でも、重症化するのは仕事上の基礎疾患がある場合**だろう。**その基礎疾患として、私があげたいものは、前述の「見たいものしか見ない」態度、「街灯の下でカギを探す」態度**にほかならない。

日本人は事実を軽視すると思われている

２０１９年。仕事でイスラエルに行ったとき、あるベンチャーキャピタリストと話す機会があった。「ヨニーと呼んでください」。テルアビブの高層ビル61階の会議室。スタートアップ企業がひしめいていた。共通の知人を介して知り合ったヨニーさんは若いころ、世界中を遊び回った、といい、完璧な日本語を話した。

イスラエルは、地政学的には危機にさらされ続けてきたにもかかわらず、明るい国民性が印象的だ。ヨニーさんは、開口一番「この国には９００万人しかいません。国内の市場は存在しません。水もありません。資源もありません。敵には囲まれています」と笑って話した。「絶望的な状況を直視しなければなりません」

ヨニーさんは、イスラエルの徴兵制について教えてくれた。「私はプログラマーでした。徴兵に行ったとき情報局に配属されました。いきなり『半年以内にイランのサーバーをハッキングしろ』といわれたんです。『ミサイルの発射を止めろ』ってね。マニュアルがあるかと訊いたら、そんなものありはしません。死にもの狂いでやっていました。退役後にビジネスをやったら、軍に比べて、こんなに楽なもんかと思いました」

日本人のお金を受け取りたくない企業が増えています、とヨニーさんは教えてくれた。検討する、内部に持ち帰る、と日本人はいう。しかし、ファクトベースの情報はすでにもっており、あとは根回しと空気の醸成だけだ。それは、ただただ意味のない時間の引き延ばしにしかイスラエル人には映らない。

イスラエル人にとって、日本人は事実を軽視し、雰囲気のみを重視する国民にほかならない。

フィリピンのカジノVIPルームにて

2018年。私は、フィリピン・マカティの中華料理店で遅い夕食を囲んでいた。時間は22時になろうとしていた。私、ビジネスパートナー、知人、ミスター・ホンの四人だった。ミスター・ホンはフィリピンのカジノで働いていて、私の知人を担当していた。VIPをアテンドする仕事で、韓国で生まれながら、完璧な日本語と中国語を話した。

話の内容は、フィリピン経済から日韓関係や日本の景気浮揚策にまで及んだが、私が訊きたかったのは、その夕食前に見た奇妙な光景についてだった。カジノのVIPルームでは一度に信じられない金額が賭けられるが、その隣を清掃するスタッフの給料は月3万ペソ（約6万円）だという。

「どういう気持ちで清掃しているのでしょう」。私の問いに、紹興酒を飲みながら、醒めたような声でミスター・ホンはいった。「何も考えているはずはありません。これは仕事です」

「世の中には、金持ちと貧乏人がいる。貧乏人はどんな仕事だってやる必要がある。それだけのことです」。その声は、事実を伝えているだけのようにも聞こえたし、何かひどく乾いたものにも感じられた。

多くのカジノでは一般客が入場する入り口と、VIP用の入り口がわかれている。当然、VIPになるためには紹介か、多額のカネをつぎこむ必要がある。私の知人は少なくないカネを「投資」していた。

VIPルームはかなりの広さで、バカラに興じることができる。しかし、面白いのは、プライベートルームに行くと、スタッフがバカラに興じているように見える点だ。

「天井を見てください。カメラがあります」。この状況はウェブを通じて実況され、スタッフは遠い国からの指示を受けて、代理で賭けているというわけだ。そこにはプラスチックのバーが何十枚も置かれていた。「この一枚が1000万円以上します。だから、いまの時点で何億円ものお金が賭けられています」。この場に来るVIPたちは大金を背負ってやってくるという。「現金を運んでくるわけですか」。「いろいろなやり方があります。たとえば、ロレックスを何個もクレジットカードで買って、その場で、わずかな手数料で買い戻してくれる店があったらどうでしょう」。ミスター・ホンは笑いながら教えてくれた。

「さまざまな方法があるんです」

ミスター・ホンは饒舌《じょうぜつ》だった。「VIP客は、親の遺産を食い潰していない限り、やはりビジネスをもっていてキャッシュが入ってくるひとがほとんどですね」。彼は遠くの一人を指差し、韓国の有名な起業家だと教えてくれた。

その場では、私たちの会話を気にするようなひとたちは誰もおらず、何億円もの掛け金が次々と飛んでいっていた。その光景を、私はうまく理解できずにいた。ただ、その場で見たVIP客たちの下卑た微笑だけは、なぜか脳裏に焼き付いた。

話は、中華料理店の晩餐に戻る。

ミスター・ホンは、VIP客の特徴について話した。「ある中国人の起業家VIPから、訊かれました。あなたは文系かと。そうだと答えたら、あなたは金持ちになれないねといわれました。数字で考える癖がないからです。あるとき、そのVIPがブログを見せてくれました。驚愕しましたね。そこにはカジノの確率論について、学者並みの分析が書かれていました」

その興奮しながらも冷静な口調に、私はミスター・ホンも、その資格があるのではないかと思った。率直にそれを伝えると、さらに微笑してくれた。

「結局は、冷たく計算するひとたちが、ここに集まってくるんです」

主張②「『自分は特別』病からの脱出を」

私はコンサルタントとして多くの企業を見ている。かならずクライアントから「うちは特殊なんです」と聞かされる。何か施策を提案すると、「難しいと思う。なぜなら、うちは特殊だから」といった感じだ。

逆に、「うちは平凡で、よくある企業です」という意見には出会った経験がない。もちろん企業は矜持《きょうじ》がなければやってられないし、プライドの裏返しといえる。これは別に蔑視するべきではないし、微笑ましくもある。

また、たまに相談を受けるのが、自社や個人のブランディングだ。「こういう仕事を受けていいだろうか」「こういう発言をしていいだろうか」と質問される。なるほど、ブランドが毀損《きそん》しないか、ネット上の炎上などでマイナスのイメージを被らないかといった懸念があるようだ。

しかし、世の中のひとは、ほとんど気にしていない。もっといえば、そのひとの恋人や妻、家族であってすら、炎上していること自体に気づかないのではないだろうか。炎上している本人からすれば大事件だが、世界の大半からすれば、そもそも知らない。

これは、いうのは簡単だが、自覚するのは難しい。誰もが「自分は特別」だと思っている。自分が平凡で凡人だと思えば、生きにくいからかもしれない。

恥ずかしいが、私もそうだった。２０１１年に会社をつくったとき、集客できない事実を認められなかった。私は20代の後半から書籍を書いていて、さらに30代の前半からはテレビにも出演していた。会社をつくったら、顧客は増えるはずだった。

ホームページをつくって、電話線を引いても、何も問い合わせが来なかった。壊れていると思って、公衆電話からかけてみたり、パソコンから問い合わせページにメッセージを送ってみたりしたほどだ。誰もが「自分は特別」病に罹患するなか、事実だけを見る態度は、日に日に重要になっている。

結局、事実からは逃れられない

この事実と数字を見る態度は、しかし、それほどたやすくはない。全員が自分は特別だと思っているから、なかなか事象をそのままとらえられない。たとえば、ビジネス書を読むとする。そこに書かれた内容を実践するのは、きっと100人に一人だろう。しかし、その一人であっても、実践した内容がうまくいかないと、もう諦めてしまう。試行錯誤できるひとは稀《まれ》だ。

たとえば、自身のビジネスに集客するために、キャッチコピーを書く。それで集客しても、ほとんど誰も来ない。こんなとき、媒体が悪いとか、集客方法が悪いと考えがちだ。ただ、誰も集客できないのであれば、そもそもその媒体が存在し続けているはずがない。悪いのは自分だ。しかし、それを直視できない。

読者のうち、何人が起業を志すかはわからない。あくまで一例として読んでほしい。起業すると、かならずお金をかけて宣伝広告を出す必要がある。媒体はなんであってもかまわない。記憶では、私が起業したあとに、はじめて出したのは地方紙の夕刊で3万円だったと思う。仕事に役立つ冊子が請求できる広告だった。

広告のあと、電話が殺到した。しかし、それは請求の電話ではなく、それを見た他の広告代理店からだった。「うちを経由して宣伝しませんか」と誘われた。実際の資料請求は一件もなかった。

通常の会社員だったら、3万円は大金だ。無駄遣いは許されない。しかし、事業をやっている以上は、そのコストは必要経費としてつぎこむ必要がある。簡単にいえば、こういう計算だ。

一人から資料請求があるとする。その一人を捕まえるためには、宣伝広告費20万円がかかるかもしれない。10人を捕まえるのに200万円がかかる。そのうち、実際に注文してくれるのは二人で、その二人は生涯にわたって210万円分の利益をもたらしてくれるかもしれない。とすれば、10万円は利益が出る。さらに、違う顧客も紹介してくれるかもしれない。だから、見た目は200万円と大きな金額だが、宣伝広告をやらないよりも、やったほうがいい。いや、やらねば永遠に繁盛の道は閉ざされる。

ただ、この計算を冷静に見つめられる人は少ない。というのも、毎日のように銀行口座からお金が減っていくのだ。「そりゃ、長期で見ればこの宣伝広告費は取り返せるかもしれない。でも、耐えられない」というわけだ。「利益があがるかもしれない。でも、お金の流出に気が気じゃない」

こういうときに、現代ではさまざまな逃げ道が用意されている。ツイッターで拡散したらいい、インスタグラムでフォロワーを増やせばいい、ＴｉｋＴｏｋでバズったら一日5000人もフォロワーが増えるらしいぜ、とかだ。それは間違いではない。実例としてもありうる。ただ、考えてみればわかるとおり、そんな奇跡はほとんどのひととは無縁だ。

奇跡は起こる。ただ、私は凡人だから奇跡は求めない。

凡人は確率論の世界にいる。勝たなくてもいい。負けなければいい。そのためには事実という不愉快な数字を見つめることだ。

当たり前に考えて、当たり前に対応する

私は冒頭で書いたように、コンサルティングに従業している。友だちと数人ではじめたコンサルティング会社を経営している。私たちは、プラグマティズム（功利主義）とリアリズム（現実主義）を第一としており、何よりも現実的に物事を考えてきた。

ただしこれは後付けの自己賛美にすぎない。実際には、私たちは現実的すぎる馬鹿者で、そして何より臆病者だった。

ベンチャーブームで、資金がじゃぶじゃぶと投下されていたとき、「何か事業を拡大しようと思わないんですか」と嘲笑されながら訊かれた。「内部留保を貯めないで、いまガンガンに投資するべきですよ」ともいわれた。

しかし私たちは「いまの売上が半減したらどうするか」「いまのコストが倍増したらどうするか」ばかりを考えてきた。そのために、クライアント1社からだけ受注するのをや

めた。もちろん、1社から受注しているほうが効率的だし、利益率も高くなる。

その後、本業のコンサルティングに加えて、研修事業、講演事業、さらにはオンライン講義配信やＤＶＤ販売、また原稿の執筆もはじめた。分散とともに利益率は悪化し、そして効率性とはほど遠くなった。

そして、「1年間お客から注文がなくても生き延びられるようにしよう」と話した。2年間注文がなかったら、それは社会から求められていないんだろう。しかし災害や緊急事態で1年の仕事が滞る可能性はある。それは予想の範囲のはずであり、その程度で、自分たちの自由が阻害されていいはずがない。

周りからは馬鹿呼ばわりされた。事業は再投資が基本であり、どんどん事業を拡大するのが当然だからだ。さらに利益をあげれば税金がかかる。それならば使ってしまったほうがいい。しかし、私たちは馬鹿者で、さらに利口でもなかったので、自分たちが信じることをした。

1年分の事業資金を確保し、さらに、事業も分散し、また顧客も分散した。

主張③「自分は間違っていてほしいと願え」

私的な話が続くのをご容赦いただきたい。私は2010年に、それまで勤めていた企業を辞めて、少人数のコンサルティング会社に転職した。その1年後に東日本大震災が起きた。

当然だが、会社で請け負っていたすべての仕事に支障が出た。コンサルティングの仕事とは、いわゆる贅沢品だ。もちろん倒産防止コンサルティングであれば火事場で需要が高まるだろうが、通常のコンサルティングはそうではない。顧客からすれば、目の前の危機を凌ぐことが重要だ。

契約が残っている仕事はまだいい。ただ、顧客からしても、その年度の業績が不透明で、なかなかコンサルティングにお金を払い続けられない。ここで、私は冒頭で書いたエピソードと同様の経験をした。

「仕事がすべてキャンセルになった」

「いまの契約が終了したら、継続はできなくなった」

これは私だけではない。多くの人たちが、おなじく2011年に経験した。稼げる仕事に集中して儲ける。これは常識だ。しかし、その常識は一定の周期ごとに再考を迫られる。むしろその常識を捨てて、ゼロベースで考えてみる。プランBをもっておくことが重要だ。少なくとも想像しておくことは必要だ。

私は、東日本大震災の経験から「あ、仕事はこんなにあっさりとなくなっちゃうんだな」「まあ、そんなもんだよな」と諦観のような感情を抱くにいたった。永続するはずもないのに、事業が永続するかのような錯覚。街灯の下でカギを探していたのは私だった。

ところで、私がそうであったように、なぜ普通のひとは常識を疑えないのだろうか。そして、思い込みを排し、データや事実にあたらないのだろうか。きっと理由は二つあって、うまくいっているし忙しいから考える時間がない、のと、そもそも自分の思い込みを補強する情報しか選択しない、からだと思う。

この二つについては、多くの心理学者らが人間性として論じている。なので、ちょっと違った点から加えるならば面白がる態度が重要だ。私が小学生のころ、テレビから流れてきたザ・ブルーハーツ「情熱の薔薇」の歌詞『見てきた物や聞いた事　いままで覚えた全部　でたらめだったら面白い』が印象に残っている。

私は自分の思い込みが間違っていたらいいのになあ、という奇妙な期待感を抱いて生きている。自分の思い込みがデータと反すると嬉しい気持ちになる。間違ったら面白い、と決めておけばいい。

もっとも、何かのデータを選ぶこと自体にバイアスはかかる。自分が思い込んでいる、という思い込みからも自由にはなれない。自分が思い込んでいるはずだ、という主張の補強にしかならない可能性はある。

その可能性はあるとはいえ、自分が間違っている可能性を楽しむ態度は、きっと洞察的な生活をもたらすだろう。本書は、自分自身の常識や思い込みを覆すことになった調査報告だ。日本人の生産性は本当に低いのか、などを取りあげ、多くの常識に対抗するものとなっている。

繰り返すが、どのデータを用いるかには、著者のバイアスがかかる。しかし、それを疑う態度こそが、強い事業や、危機に耐性のある個人をつくり、さらには愉悦につながる可能性を私は信じている。

現代は何が起きるかまったくわからない。リスクマネジメントとは空想力と同じ意味になった。そしてその空想力は、「見たくないものを見る態度」、そして、「自分の思い込みが間違いであることを楽しむ姿勢」から生まれる。

稼ぐ人は思い込みを捨てる。

みんなの常識から抜け出して日本の真実を見るスキル

目次

13

ブックデザイン　山家由希
DTP・図版作成　美創

「今、見えている世界」
「今の仕事」だけに
とらわれすぎていないだろうか？

1 「会社と個人の努力が儲かる・儲からないを決める」は本当か？

▼利益も収入もどの業界を選ぶかで決まる

思い込み

- 同じ業界でも儲かる・儲からないは、会社によって決まる
- 企業は儲かるときもあれば、儲からないときもある
- 同じサービスを提供していれば、利益率はおおむね決まる

実際は

- どの業界を選ぶかで利益水準は決まる
- 中長期的に見れば、儲かる企業は儲かり続け、儲からない企業は儲からない
- 同じサービスや製品を提供しても、売り先によって利益率は大きく異なる

「芸能人で収入が多いのはほんの一部のひと」といわれる理由

これまでずっと若年として扱われてきた。はじめて著書を上梓したとき、私は28歳だった。講演にお呼びいただく際、私を見た主催者が「あら、こんな若いひとだったんですか」と後悔に似た感想を何回かくれた。講演にやってきた私に、「ところで、先生はどこですか」と質問されたこともある。

はじめてテレビに出たのは30歳だった。テレビカメラがまわるスタジオに自分がいる。これは特別な経験だ。そして、番組は台本どおりには進まない。まったく予想もしなかった質問が飛び交う。さらに、まったく予期しない展開になる。それを何食わぬ顔で対応しなければならない。事前に練習しようにもできない。純粋に現場で学んでいくしかない。

なんとかテレビの仕事をこなし、回数を重ねるようになって、芸能人の方々とも会話する機会が増えた。私はテレビに出る前に、工場などの現場で泥にまみれていた。いまでもコンサルティングの現場ではそうだ。そんな人間からすると、工場とテレビスタジオのギャップにいささか奇妙な感覚を抱かざるを得ない。ただ、芸能人も、さほど一般人と違わないとわかるにいたった。

　たとえば、下世話な会話のなかで、「いくら稼いでいるんですか」と質問をする。おそらく素直に答えてもらっている、その答えは、トップの芸能人を除いて、ほとんど会社員と違わない。小説家についてのジョークで「一流の小説家とは何か。それは担当編集者よりも給料が高いことだ」がある。私はジョークだと思っていたが、文章を書いてお金をもらうようになってから、事実だとわかった。

　そして、芸能人も、さほど会社員と年収が変わらないと知った。いや、プライバシー保護のために高級マンションを借りざるを得ない事情を考慮すれば、たぶん、実質年収は低いだろう。

　私はテレビ番組でもらうギャランティを主収入としていない。あくまでも本業が中心だ。しかし、私がメディアで糊口をしのいでいると思っている方々から、ギャランティを訊かれ、答えると、その低さに驚かれる。だから、芸能人は数で稼ぐしかない。

　私は芸能人の何人かに訊いてみた。「なぜ芸能人は収入が低いのでしょうか」。答えは決まっていた。「一部を除いて、芸能人ってそういうものなんです」

戦略とは「何を選ぶか」

私は製造業2社を経験したあとに、コンサルタントを志した。製造業2社の経験で身につけたノウハウを生かそうと思った。そのときに、コンサルタント2000万円年収限界説を聞かされた。

内容は、365日のうち、稼働できるのは240日程度。そして、4分の1が営業活動、2分の1が稼げる日、4分の1が資料作成だという。ということは120日くらいしか稼げる日がない。そこで一日あたり15万円くらい稼げれば約2000万円になる。この数字はかなり上出来で、ほとんどのコンサルタントはこの2000万円にいたらない。実際、私と同時期にコンサルタントとして独立したひとの大半は、のちに会社員に戻った。

私はそこからコンサルタントの常識をいかに脱するかに注力してきた。しかし、これは本題ではないので、他に譲ろう。それにしても、私が強烈な印象を受けたのは、**そのひとが選んだ分野で収入が規定されるという残酷な事実だ**。

考えてみるに当たり前で、年収が500万円の会社に天才がいたとする。いかに天才でも、日系企業であれば同僚と100万円くらいの差がせいぜいだろう。私は日系企業2社で働いてきた。天才と凡人の能力差は10倍ではとどまらないのに、給与差は2倍もつかなかった。

私の勤務先企業は、東大だとか京大を卒業したひとがたくさんいた。もちろん、日本全体の給与水準からいえば良かっただろう。しかし、きっと、同じ大学の同期には2倍か3倍かの給

図1●各産業の粗利益率

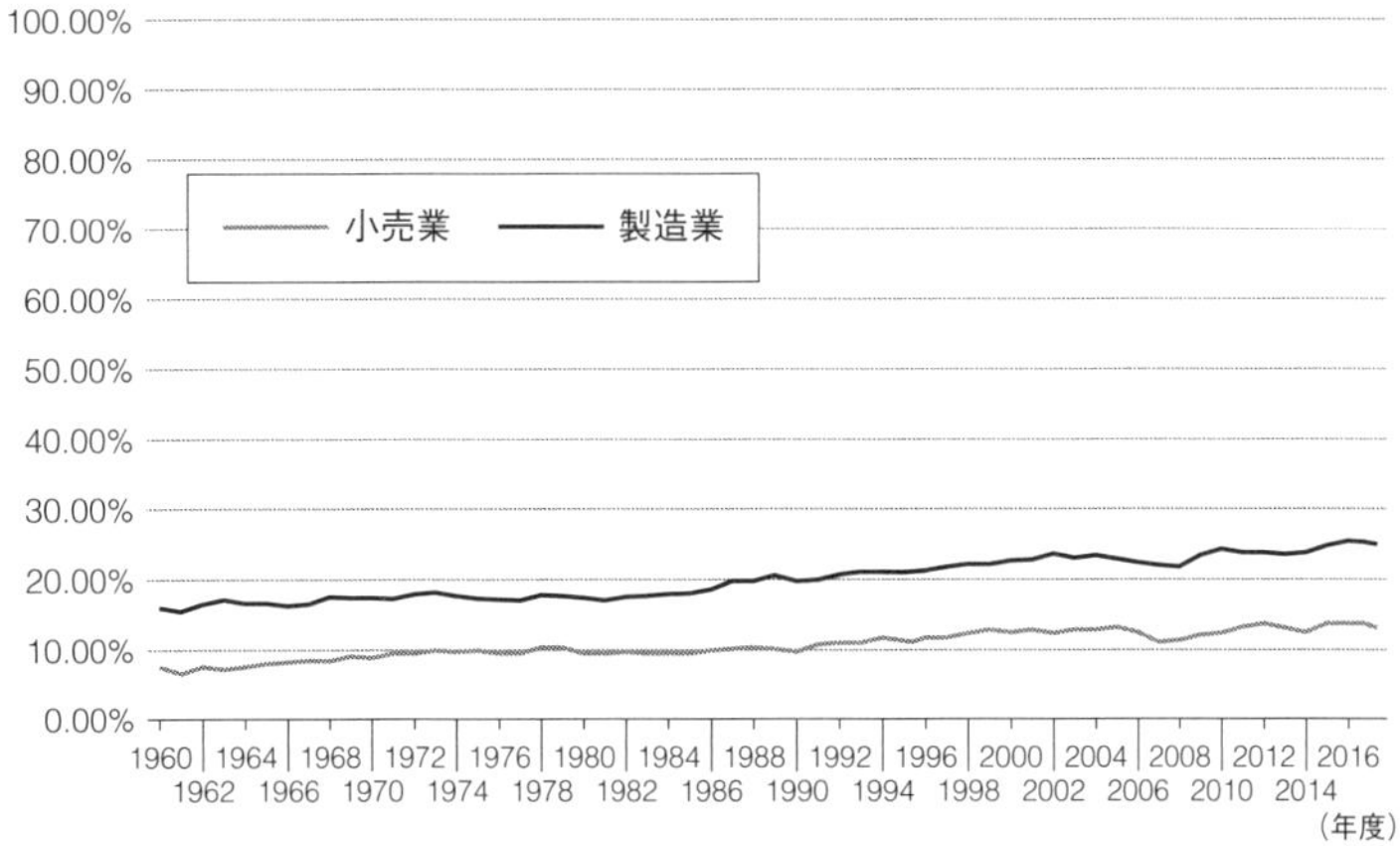

料をもらっているひとがいるに違いなかった。そしてもっと低いひともいただろう。

これを「給料が低くても、やりがいがあれば問題ない」といった内容で話を終わらせるのはたやすい。しかし、私の疑問はその先にあった。なぜならば、給料が高くてやりがいもあればそれに越したことはないからだ。ただ、結論からいえば、**何を選ぶかで給料は決まる。というのも、企業の稼ぐ力が異なるからだ。**

そこで、まずは業界による、粗利益を見てみよう。粗利益とは、厳密ではないものの、販売価格から原価を引いたものだ。製造業であれば、販売価格から工場でかかったコストを減じる。小売業であれば、販売価格から仕入れ価格を減じる。

結果が図1だ。

全体的に向上している。ただ、小売業を選択すれば、ずっと粗利益率が15％以下になるという「運命」にある。そして、製造業を選べば、20％程度にいる。もちろん、優れた会社は存在して、これを突き抜ける。ただ、全体としては、このマクロの傾向に左右される。天才的な社員がいたら、15％を20％に、20％を25％にできるかもしれない。でも、2倍や3倍はかなり不可能に近い。

業界ごとの残酷な真実

私が「三品和広先生の呪い」と呼んでいる事象がある。それは、ミもフタもない現象で、「儲かり続ける企業は儲かり続け」「その儲かり続ける業界は決まっている」というものだ。

まずは図2を見てもらいたい。これは氏の『経営戦略を問いなおす』（ちくま新書）から引用したものだ。中心から伸びている横軸は利益を示す。そして、中心から伸びている縦軸も利益を示す。そこで、グラフの外枠に記載されている数は、それぞれの会社数を示す。

つまり、中心に近いところは、稼げていない会社数だ。そして、グラフの四隅に近いほど稼いでいる会社数を示す。さらに、A面〜D面と時計まわりに、60年代から90年代までの推移を示している。

図2●実質営業利益額による企業の分布と年代別推移

576	2	3	21	19	43	61	105	102	96	51	21	10	9	33	1960年代	8	1	1	5	33	99	136	97	96	60	24	5	9	2	576
1	1														2048～														1	1
3	1	1	1												1024～													2	1	3
10			6	3	1										512～											2	1	7		10
17			5	3	5	3	1								256～									1	3	9	4			17
45		1	5	5	15	9	7	1	1					1	128～								1	6	26	12				45
72			3	6	12	21	22	4	1		1		1	1	64～						1		8	37	25	1				72
101			1	1	4	17	29	18	14	5		1	1	10	32～					1	2	14	40	38	6					101
142				1	3	6	24	33	31	18	7	3	1	15	16～				2	5	20	68	36	11						142
125		1			3	3	15	34	30	18	9	5	4	3	8～	6			1	11	49	44	11	3						125
49						2	6	11	14	7	4	1	1	3	4～	1	1	1	2	12	21	10	1							49
9							1	1	4	2			1		2～					3	6									9
1									1						1～					1										1
1			（D面）							1					0～	1											（A面）			1
0															～0															0
1990年代	2^{11}～	2^{10}～	2^{9}～	2^{8}～	2^{7}～	2^{6}～	2^{5}～	2^{4}～	2^{3}～	2^{2}～	2^{1}～	2^{0}～	0～	～0		～0	0～	2^{0}～	2^{1}～	2^{2}～	2^{3}～	2^{4}～	2^{5}～	2^{6}～	2^{7}～	2^{8}～	2^{9}～	2^{10}～	2^{11}～	1970年代
15							1	1	3	1	4		1	4	～0	2			1	1	4	3	2	1						14
2					1				1						0～					1						1				2
3											1			2	2^{0}～					1	1	1								3
16							1	2	3	5	2	2	1		2^{1}～				1	2	8	4			1					16
36							1	2	11	13	3	1	3	2	2^{2}～	2	1		2	8	18	3	1							35
108						1	8	18	39	22	8	4		8	2^{3}～	3		1	2	14	41	36	7	1						105
162					2	1	18	64	45	10	3	2	4	13	2^{4}～	1				8	43	74	28	3						157
121			1			14	61	22	12	3	1	2		5	2^{5}～						5	36	48	25	1					115
89					8	39	26	11	3		1		1		2^{6}～							3	23	46	12					84
69			1	8	23	20	13	1		2				1	2^{7}～							1	1	28	36	1	1			68
29		1	7	11	9	1									2^{8}～							1		1	11	12	3			28
11		1	6	1	3										2^{9}～											8		3		11
10		2	6	2								（C面）			2^{10}～			（B面）								2	1	6	1	10
1	1														2^{11}～														1	1
672	1	4	21	22	46	76	129	121	117	56	23	11	10	35	1980年代	8	1	1	6	35	120	162	110	105	61	24	5	9	2	649

図2が表現しているのは、儲かる企業は儲かり続けるし、儲かっていない企業は儲からない状況が続く――という冷酷な事実だ。これはビジネスモデルが儲からない／儲かるものになっているからにほかならないし、あるいは、儲かる業界／儲からない業界ゆえの違いだ。

さらにサンプル数は少ないものの、どの業界に身を置いているかを図3で見てみたい。これが示すのも、どの業界で商いをするかで、利益率が異なる事実だ。上には産業とある。下には自動車とある。つまり、**同じ製**

図3●電機・精密機器業界の売り先別利益率

売り先	該当企業数	売上高 営業利益率
産業	13	9.73%
半導体	10	9.12%
研究所	3	9.05%
医療	7	8.07%
建設	12	7.74%
オフィス	13	7.28%
内部	38	6.19%
官公	22	5.03%
混合	6	4.33%
量販	20	3.86%
自動車	17	3.83%

品を販売するにも、産業向けに販売すれば儲かり、自動車向けに販売すれば儲からない。なぜだろうか。販売しようとする業界が余裕あるか、あるいはないかで販売価格の厳しさが異なるのだ。

調達・購買観点からの検証

なお、この考えは、原価計算や調達・購買領域の世界では評判が悪い。というのも、この論理的な世界では、コストが同じ10円の製品であれば、利益も同程度であるはずだからだ。さらに、どの業界であっても、調達品を同じように価格査定をする。ということは、少なくとも論理的には、コスト10円ならば、誰が価格査定をしても10円のはずだ。

しかし、利益率が主要販売先によって異なるため、A社に販売したら10円で、余裕ある業界のB社には15円で販売できるのだ。そして残念ながら、その傾向は肌感覚としても合っている。

というのも、現場でコンサルティングを実施すると、利益が出ている会社ほど、調達価格に甘めになる傾向がある。もっとも、業績が悪くさらに調達価格にも無頓着な企業はどうしようもない。逆に、トヨタ自動車のように利益が出ているのに、調達価格にもシビアな企業は素晴らしい。ただ、一般的には利益が出ている企業は、調達価格よりも、マーケティングや製品開発に注力しているように見える。

また、東京都産業労働局が発行している「東京の中小企業の現状」には、興味深いポイントがいくつか示されていた。東京と地域が限定されているものの、日本で起きていることを示している。平成30年度版は製造業を中心としている。

そのなかでも瞠目《どうもく》するのが、取引先（顧客）の社数で、4社以下が25・0％でもっとも高い。次の、5～9社が20・5％だから、これだけで約半数にいたる。たった数社のみを相手に糊口をしのいでいる企業が〝普通〟ということになる。

経営の指標に安全余裕率というものがある。これは、赤字と黒字ギリギリを意味する損益分岐点売上高に対して、実際の売上高がどの程度余裕があるかを指標にしたものだ。簡単にいえば、あとどれくらい売上高が下がっても黒字を維持できるかを指す。

ほとんどの企業は20％程度売上高が下がれば、黒字を確保できないと考えられるから、たった数社の主要取引先に首根っこを押さえられていることになる。図4のグラフは、年間売上高第1位の取引先（顧客）との関係を、価格面からとらえたものだ。

図4●年間売上高第1位の取引先（顧客）との関係（価格）

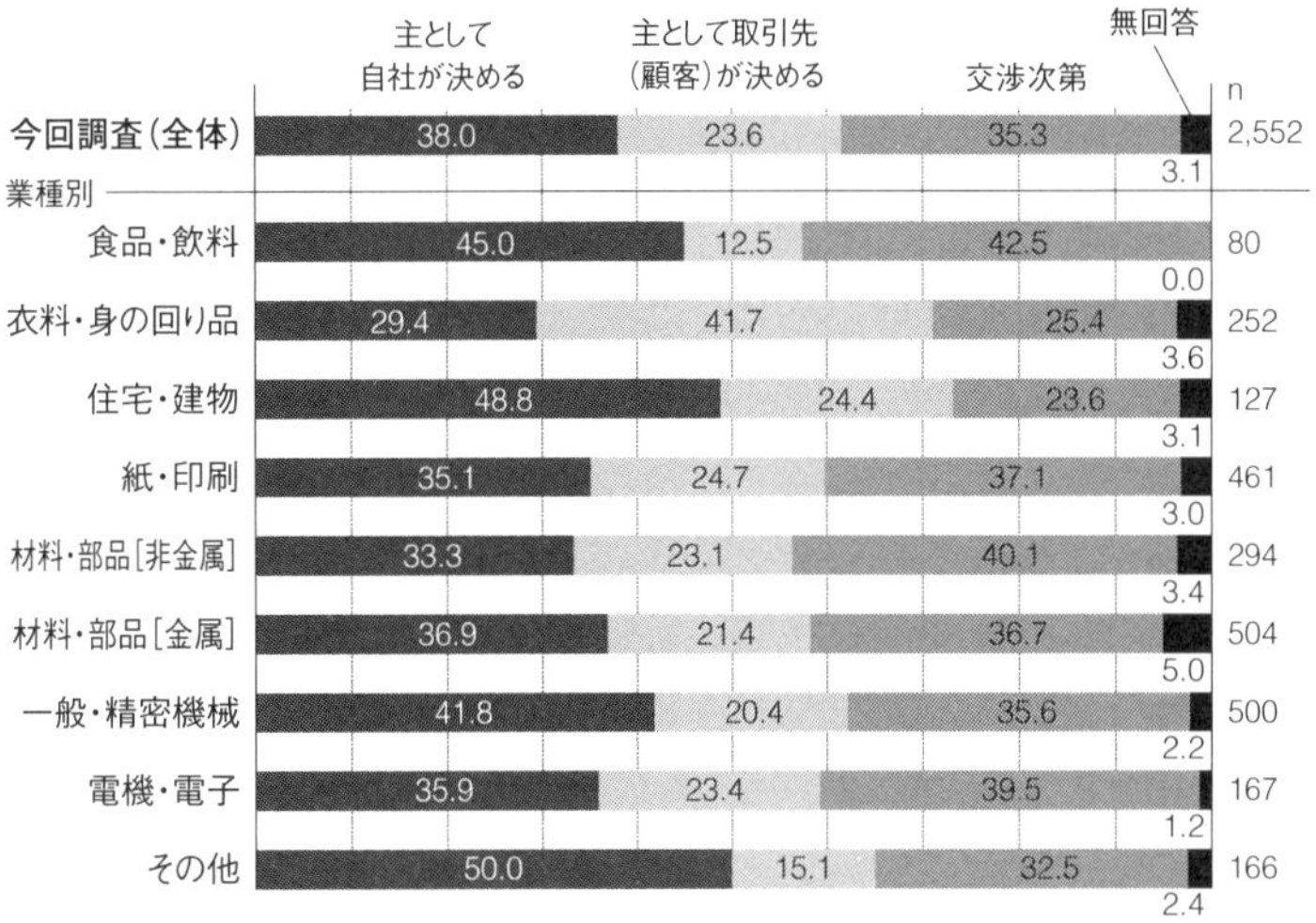

驚くのが、調査全体で価格は「主として取引先（顧客）が決める」と回答した企業が約4分の1にいたっている点だ。これは売上高1位の企業ではある。しかし、メインの顧客が数えるほどしかおらず、分散していないため、この影響力は大きい。

実際、納期決定については、この傾向がさらに強くなる。半数以上の企業が、1位企業の決定にしたがっているとわかる（図5）。

製品の生産期間をリードタイムと呼ぶ。そのリードタイムにのっとった注文書を発行するのが理想だ。しかし現実には、生産計画などが後手後手にまわり、注文がギリギリになってしまう。調達先にしわ寄せがいく。交渉も強引になるケースが多い。し

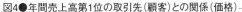

図5●年間売上高第1位の取引先（顧客）との関係（納期）

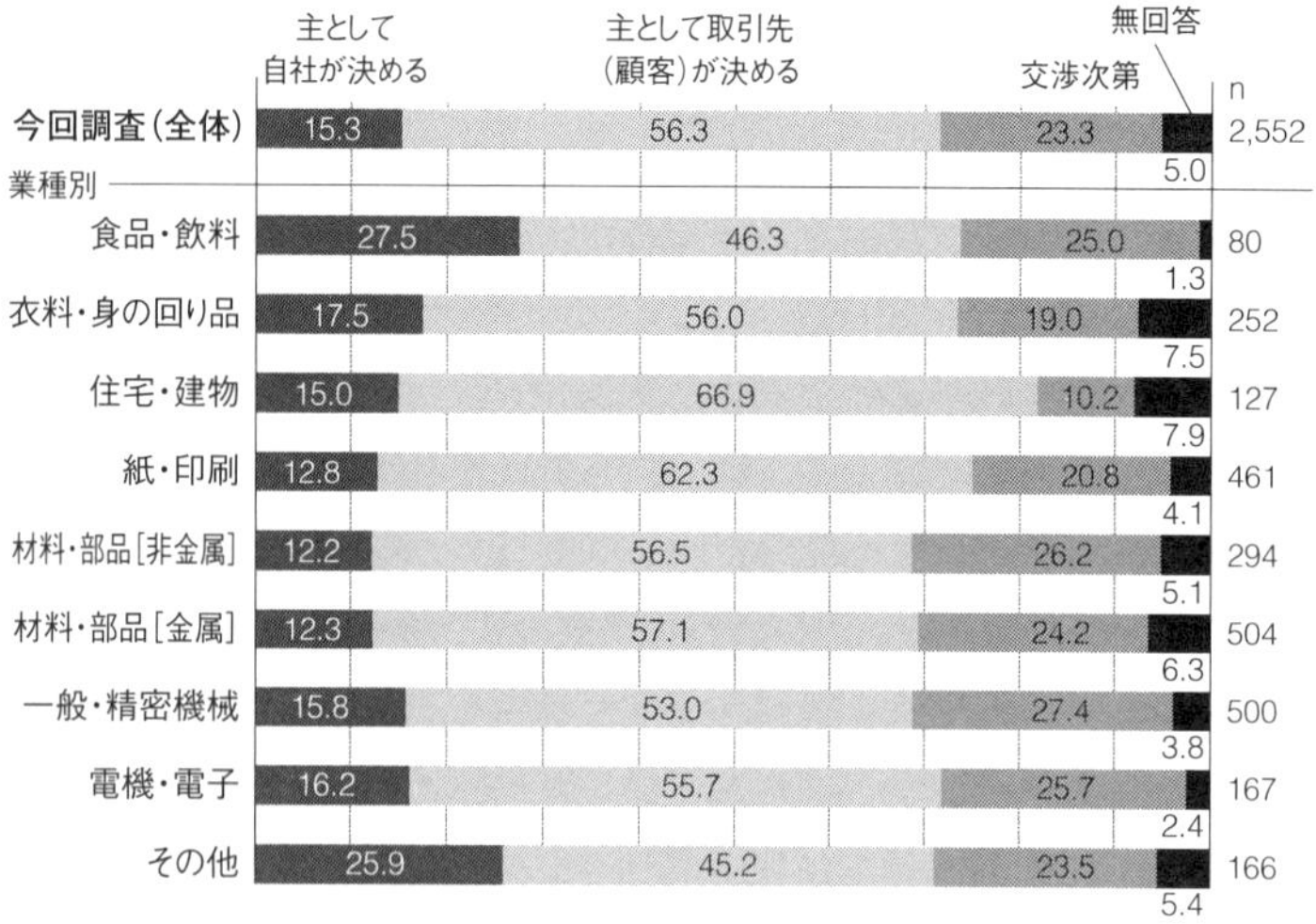

かし調達先にとってみれば、違う企業に注文を切り替えるぞといわれると、どうしても条件を飲まざるを得ない。

また公正取引委員会が発表した「製造業者のノウハウ・知的財産権を対象とした優越的地位の濫用行為等に関する実態調査報告書」にはかなり悲惨な状況が描かれている。タイトルどおり、発注者が優越的な地位を使って、取引先からノウハウを「搾取」していないかを調べたものだ。

・ノウハウの開示を強要される
・名ばかりの共同研究を強いられる
・特許出願に干渉される
・知的財産権の無償譲渡を強要される

などの叫びが書かれている。

書面調査は、製造業者3万社（中小企業

2万6300社、大企業3700社）であり、726件の個別事例報告があったようだ。企業の苦しさを示しているのが、「報告された事例の大半で取引先の名称は記載されなかった」という一文だろう。書面回答があっただけでも、これだけの数に上るので、忖度《そんたく》によって明らかにならなかった件数を推測するならば、実態は相当な数に上るに違いない。

主要取引先集中か、取引先を分散か

ところで数社のみに販売する場合のメリットもある。顧客のやり方を熟知しやすい。また、書式や面談にいたるまで、効率的であり、生産設備も使い分ける必要が少なく安定的だ。もっとも、その安定的とは、注文をもらっている場合であり、主要取引先に切られるリスクがある。

ところで、私の思い出話をする。コンサルティング会社をつくって、ある得意先からの受注が相当な比率を占めていた。ただ、その企業が方針転換して、私たちの会社に依頼しなくなるかもしれない。やはり不安があった。

私はコンサルティング業務に従事している。コンサルタントは顧客に冷静な分析を提供する。誰もが他人のことは客観的に見られるのに、自分自身のことはわからない。皮肉なことに、コンサルタントにもっとも必要なのはコンサルタントなのだ。そこで、私は別のコンサルタントに相談しに行った。答えは明確だった。「そのお客さんに依存しない状態にしなければダメですよ。茨《いばら》の道ですが、それしかありません」。前から気づいてはいた。しかし、やはりそうなのだ。

私は、大口顧客の仕事を減らして、比率を下げる決断をした。こう書いたからといって、簡単ではなかった。想像以上につらい道のりだった。仕事が減ったので、やることがない。売上が激減する。何もやることがない日が続いた。はじめて平日に映画を観に行った。まったく内容が頭に入らなかった。焦燥感だけが全身を襲った。なにしろ収入がなければ、幼い子供に食事を与えられない。

しかし、精神状態がギリギリのところで、新たなサービスを模索したり、顧客候補を探したり、あるいはこのように書く仕事をしたり、そして、以前は想像もしなかった業界に手を伸ばしたりした。

そのすべてがうまくいったわけではない。ただ、少しずつ少しずつ、本当に少しずつ少しずつ、なんとか仕事が分散できるようになり、また、以前の売上高以上になっていった。まだ完全とはいえないけれど、精神的にも安定してきた。

なぜ私の思い出話をしたか。調査報告の〈製造業者へのヒアリング調査で聞かれた「要請を受け入れざるを得なかった理由」の例〉を見て感じるところがあったからだ。

・応じなければ、その取引先に供給している別の製品の調達先を他社に切り替えると示唆されたため。
・自社はいわゆる下請企業であり、生産設備等も親事業者の発注に応えられるように整えており、取引先を刺激して取引を切られると経営が成り立たないため。
・小売業者に反抗的な納入業者だという印象を持たれると、取扱商品を絞られるなど悪影響が出る可能性があったため。

私は、販売先に依存している哀しみを感じた。もちろん、独占禁止法等の取り締まりを強化し、優越的地位の濫用が存在しなくなるような社会的努力は必要だ。そして、調達側も、下請法等の理解は欠かせない。それらをもちろん承知のうえで、それでも特定の取引先依存という問題が解決しなければ、似たような構造は温存されるだろう。

まずこの章では、**業界によって平均的な利益率がほぼ変わらない**と明らかにした。また、その業界にいて、**誰に売るかでさらに利益は決まる。稼げる立地と、稼げない立地がある。**さらに多くの企業は、取引先（顧客）を少数に限定している。依存は他者からの拘束を呼ぶ。

これから起業するひとは覚えておいたほうがいい。類似他社との差別化を考える前に、まず、何を誰に売るかを慎重に選ぼう。それで成功の大枠は決まってしまう。起業とは自由を求めるものだが、入り口に立ったとき、不自由に向かっていると気づくだろう。

以前、先輩のコンサルタントと、共通の知人の話題になった。その知人は学校の教師を対象とした心理カウンセラーで、教師が児童に心理的なケアをする手法を教えていた。私が「あの人、どうやって食っているんでしょうね」というと、先輩は「食えていないんだよ」と答えた。「どうやって食っているんだろう、と思うひとは、実際に食えていない」「学校に予算がつくと思う？　予算がついても少額だろ、教師個人が自費で習いにくるとも思えない」と。

必要なのは、ちょっとした手間だ。類似の会社があったら、業績を調べてみるといい。ネットで少額を使えば調査できる。うまくやっている会社があったら、どのように収益をあげているか調べてみる。そして、想像力を働かせて、自分だったら買うだろうか、と考えてみること。

飛び込んで後悔する前に、登る山を吟味するのだ。

▼稼いで自由を獲得するためにデータを使おう。
自分は特別だから、という思い込みを捨て、
まずは業界と販売先という観点から
冷静に事業の可能性を眺めよう。

2 「日本人の生産性は低い」は本当か？

▼日本は闇労働が少ないので生産性が低く見える

思い込み

- 日本人の労働生産性は低い
- 他先進国の労働生産性は高い
- 効率は上げるほどよい

実際は

- 日本人の労働生産性はそれほど低くない
- 統計に現われない労働力を計算すると他国の労働生産性は下がる
- 結果のわからない仕事は効率を無視するくらいがよい

ＥＵと米国への出張経験での実感

私は仕事で、いろいろな国に出向く。そして、工場やオフィスなど、実態を見る。そこで感じるのは、日本人は本当に働き者だ、という事実だ。私は、世界的に事業を展開している会社に勤めていた。会議をすると、日本人ばかりが時間どおりに集まっていた。遅れた海外のスタッフを責めると、「だって日本人は終わる時間を守らないじゃないか」といわれ苦笑した経験がある。日本人は勤勉に、そして長く働く。

米国で自社の支社に行った際、あるいは、ＥＵ諸国に出張に行った際に、彼らの働かない様子に、ある意味、感動した記憶がある。米国人は朝早くから働いているものの、ドーナッツを食べたり、ミーティングもさほど効率的でなかったりした。また、米国人は、夕方にすぐに帰宅する。たしかになんでも会議をしようとする日本人の非効率性は改めるべきだ。テレワークなどをきっかけに見直す必要がある。ただ、同じようなビジネスを2国でやって、お互いに稼いでいるのだ。どっちかの国の労働者だけが素晴らしくて、日本だけが悪いなんてあるだろうか。

ランチにあまりに時間をかけるＥＵ諸国と比べて、日本の生産性が悪いとは思えなかった。

イタリアに行った際、11時くらいにランチに出向いたにもかかわらず、終わったのは13時を過ぎていた。ランチはピザだったが、焼き終わるまでの時間は無限のように感じられた。しばらくすると、「ワインでも頼みましょう」と誰かがいった。酒を飲むと効率が下がるのは全世界共通だろう。

あるとき、インドにある空港のファストフード店で注文しようとした。私の前に並ぶ客がジュースを頼んだ。店員は振り返って、ジュースを注いだ。そして追加のオーダーを聞き、調理に向かった。そして、出来上がると、また追加を聞いた。日本ならまとめて注文を聞くはずだ。

これが現状なのに、日本に戻ると、日本は労働生産性が低く、改善しなければならないという。どうしても実感とあわなかった。

日本人は効率が悪いのか？

日本の労働生産性は悪いといわれる。その定義がほとんど理解されていないにもかかわらず、日本人の効率が悪いかのように語られる。そして、実際のデータでもそうなっている。毎年、公益財団法人・日本生産性本部が国際データを公表している。それによると、日本はかなりまずい状態らしい。

日本の就業者一人あたりの労働生産性は、ＯＥＣＤ加盟36カ国中21位だそうだ（図６）。そして製造業では１９９５年、２０００年と日本は1位だったにもかかわらず、２０１７年のデータではＯＥＣＤ主要31カ国中14位に落ち込んでいる（図７）。

このデータから、製造業もダメだ、という結論を導くひとがいる。あるいは、全体で21位だが、製造業が14位ということは、非製造業（サービス業）が順位を落としている元凶だと断ずるひともいる。

しかし、これをそのままの順位で論じることはあやうい。というのも、日本生産性本部のレポート自体に「製造業の労働生産性は、円ベースでみると着実に上昇を続けている」とある。しかし、「為替レート（移動平均ベース）をみると、２０１０年から２０１６年の間に2割近く（21・7％）円安に振れており、それがドルベースの生産性向上ペースの重石となっている」と書かれているからだ。

つまり、**国際指標として比較する際には、ドルベースに変換する必要がある。だから、為替レートが変化すれば、その分、円からドルに計算する際に悪化したように見える。**これは正しい計算ではないと断ったうえで、**日本の約１００ドルを１・２倍してみれば、日本の労働生産

図6●OECD加盟諸国の労働生産性（2018年・就業者1人あたり/36カ国比較）

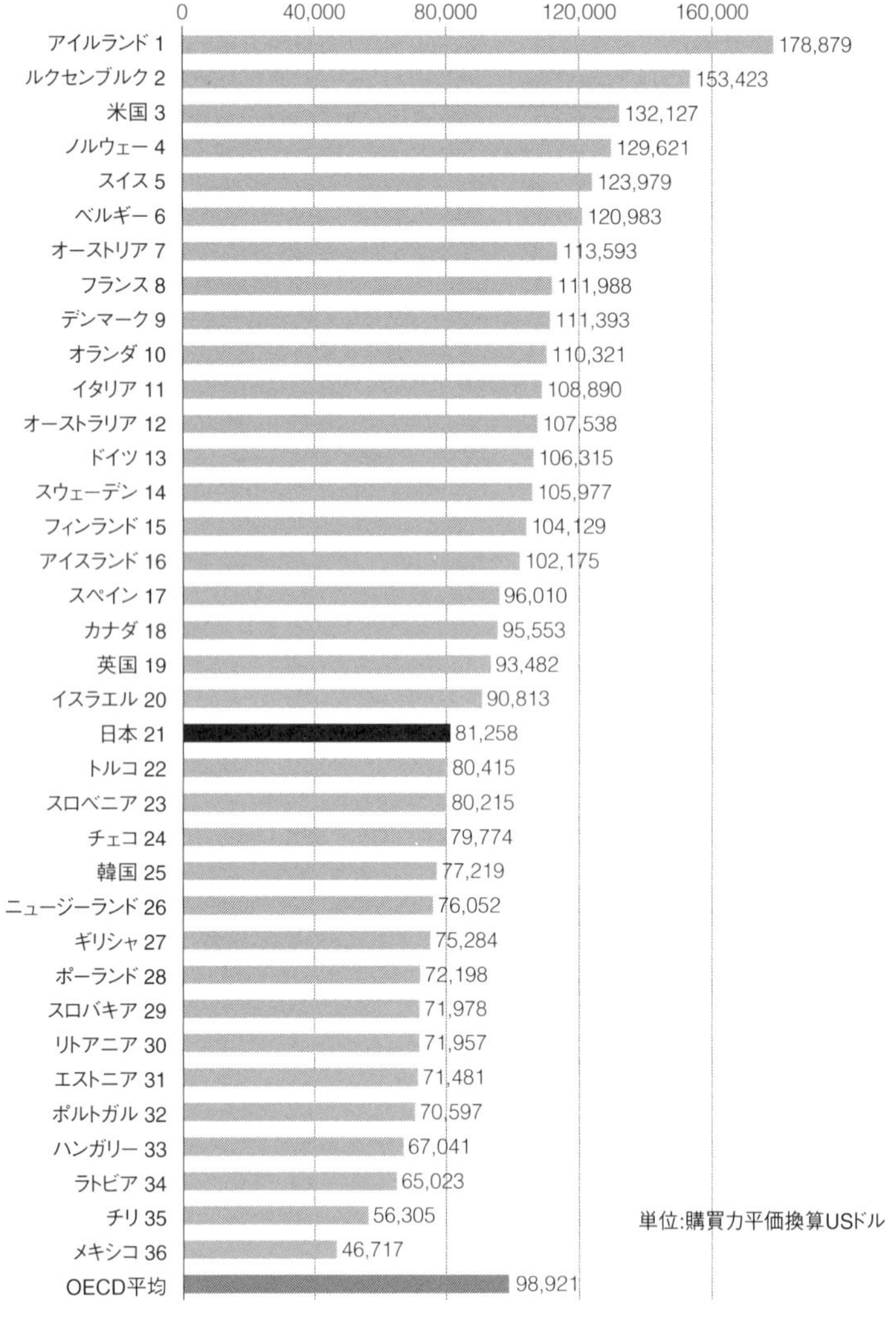

図7●製造業の名目労働生産性水準（2017年/OECD加盟国）

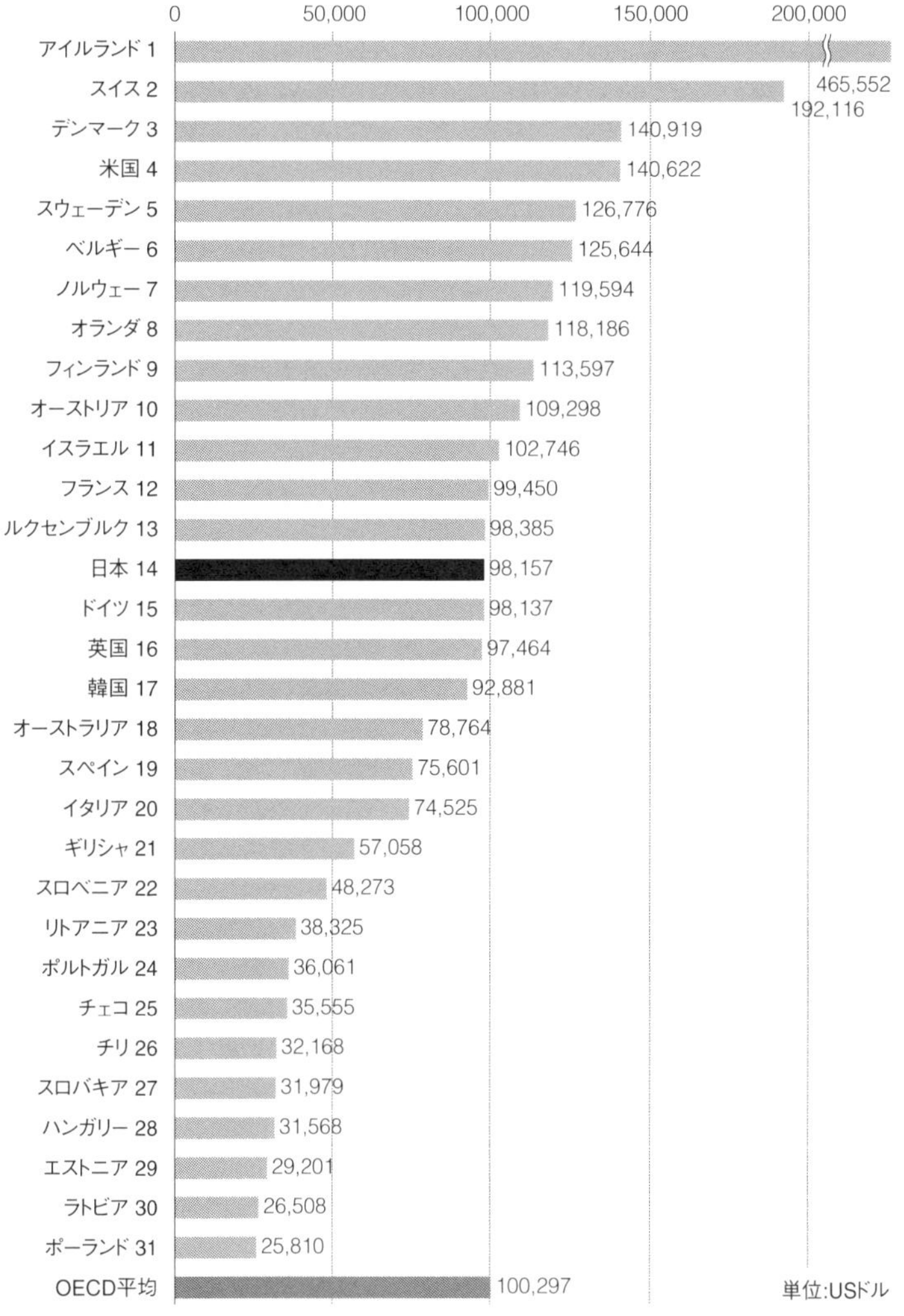
0
50,000
100,000
150,000
200,000
アイルランド 1
465,552
スイス 2
192,116
デンマーク 3
140,919
米国 4
140,622
スウェーデン 5
126,776
ベルギー 6
125,644
ノルウェー 7
119,594
オランダ 8
118,186
フィンランド 9
113,597
オーストリア 10
109,298
イスラエル 11
102,746
フランス 12
99,450
ルクセンブルク 13
98,385
日本 14
98,157
ドイツ 15
98,137
英国 16
97,464
韓国 17
92,881
オーストラリア 18
78,764
スペイン 19
75,601
イタリア 20
74,525
ギリシャ 21
57,058
スロベニア 22
48,273
リトアニア 23
38,325
ポルトガル 24
36,061
チェコ 25
35,555
チリ 26
32,168
スロバキア 27
31,979
ハンガリー 28
31,568
エストニア 29
29,201
ラトビア 30
26,508
ポーランド 31
25,810
OECD平均
100,297
単位:USドル

性は思ったほど悪くない。むしろ上位にある。もちろん、為替レートも含めて、ドルで上位にこなければ国際的な意味がない、と論じる立場もわかる。

ただし、ルクセンブルクなどが上位に入っているのは、その国の特異性といえる。同国はかなりの近代都市でEUにおける金融センターの役割をになっている。つまり、儲かっている金融機関だけで労働生産性を計算しているようなものだろうか。さらに同国は資源国でもある。

また全体・製造業とも1位のアイルランドは法人税を低く抑えることで、全世界からグローバル企業を惹きつけてきた。日本のような、農業も、工業も、サービス業も、さまざまにごちゃ混ぜになった国と並列に比較するのはかなり無理があるのは指摘しておくべきだろう。

さらに、私が各国でおぼえた違和感、そんなに日本人の生産性は低いだろうかという疑念にたいしても、仮説ではあるが試算できる。

そのときに役立つのが、経済評論家・門倉貴史さんが指摘している闇労働の実態だ。氏は、いわゆる大学に属するアカデミシャンが真面目に取り組まない裏社会の経済統計について果敢に切り込んできた。経済学者の多くは、公表された統計データを基に意見を述べる。しかし、氏は公表されていない風俗業の経済規模などを試算してきたし、また、公表されたデータ自体にも疑いを向ける稀有《けう》な知性を有している。

闇労働が少ない日本

話を闇労働に戻す。これは、統計上は、労働者数とカウントされないものだ。たとえば海外で、統計上は10人の労働者となっているものの、15人が働いているとする。なぜカウントされないかは、社会保険などの税を免れたい事業者の思惑もあるし、労働者が正規の労働ビザを有していないとか、さまざまな理由がある。

いっぽうで、日本では正規にカウントされない闇労働はきわめて少ないとわかっている。先にあげた門倉さんは闇労働を風俗などのアンダーグラウンドと、会社員が秘密で行うアルバイト、外国人の不法労働の三つに分類している。そのうえで、この三つの闇労働を、正規労働人口の３・２％程度しかいないのではないかと推計している（門倉貴史『ホワイトカラーは給料ドロボーか？』光文社新書）。

日本人の真面目さもある。そして、企業が副業をいまでもなお認めていないか、認めていても届出制にしていることも影響する。この３・２％という数字は私の直感とも近い。

同様に、門倉さんは２０００年代前半を指して、ＯＥＣＤ加盟国の闇労働参加率を20％弱と推計している。なんと、正規の労働力人口と闇労働とを比べると、闇労働は20％にもいたるのだ！　ＥＵのホテルやサービス業では、かなりの闇労働力を使用していると考えられる。ＥＵのＧＤＰはかなりの部分が、この闇労働によって支えられている。さらに、ＥＵでは難民や移民が増えており、その闇労働が現代はより増えていると類推できる。

20％弱ではなく、あえて保守的にその半分の10％弱まで減ったと、仮定してみてもいい。それでも、ＯＥＣＤ加盟国の労働生産性は10％程度悪くなる。

結果、日本の労働生産性は、悲観するべきものではないと思われる。そりゃ、会議が多いとか、楽観はできないものの、こんなに頑張っている日本人の労働生産性はそんなに悪くない。**報じられ方を見ると、さも日本人の生産性だけが悪いような印象を受けるものの、それほどではなさそうだ。**

在庫を多くもてる国とそのまま比較はできない

ところで私が米国に出張で行く際、オハイオのショッピングセンターでうろうろし、その後にコストコだとか、ウォルマートだとか、ターゲットなどの小売店を見て回っていた。その際に、広大な土地に在庫を置き続けている姿が印象的だった。

とくに都心部において、日本に余裕はない。たとえば、どの店舗で、何が、何個、いつ売れているかを把握するPOSデータは、米国からそれが誕生したものの、日本で発展した。日本はコンビニエンスストアのバックヤードに保管しておくスペースがないから、極限まで在庫を減らすオペレーションを実現せねばならなかった。

POSデータを活用し、店の売上や各アイテムの販売数のみならず、在庫を見える化したのは日本のセブン-イレブンが嚆矢《こうし》だった。1982年のことだ。コンビニエンスストアに並ぶ3000～3500の商品の大半が短期間に入れ替わるといわれるが、それもPOSデータと直結していた。

在庫の多さは、損益計算書ではなく、キャッシュフローを直撃する。在庫の改善は、通常の感覚では当然だが、米国の小売業では倉敷料が安いため、大量にストックするのが当時はむしろ当然だった。さらに米国は歴史的に、日本よりも商品のライフサイクルが長い。日本のセブン-イレブンの発展を築いた功労者である鈴木敏文氏は、日本の生活者として普通の感覚でほしい商品を考え、そして在庫の徹底的なスリム化を目指したのだ。

労働生産性は、得られた付加価値＝粗利益を、投入した労働量＝労働コストで割り算して計算する。米国のようにスペースに余裕があり、棚卸資産をもてる国と比べるのは、いささか酷ではないだろうか。いや、比較してもこれだけの差にとどまっている日本は捨てたものではない。

効率だけ追求すればいいというわけではない

ここからはデータというより、私の肌感覚で話をしたい。

ある大企業の役員と話をした。その企業では、徹底的な労働時間削減を断行し、強制的に従業員を帰宅させたり、水曜日には有給休暇の取得を強制したり（もちろん表面的には有給休暇取得の推奨）した。ただ、それでも、さほど売上高は変化しなかったという。

たとえば、こう自問してみる。いま丁寧にメール返信していることを、きわめて短文で返事し時間を圧縮したとして、それで業績は変わるだろうか。いや、もっといってしまえば、メール返信自体をやめたとしても、企業全体の業績は変わらないのではないだろうか。会議の回数を減らしても、何も支障が出ないに違いない。

私たちの会社では、基本的に会議をしない。用件はメールで送る。また、本気で何かを実行したいひとがいれば、会議にかけて「こういうことをやりたい」といってくれれば、可能な限り、全員でアドバイスを提示しあう。誰も止めない。責任をとる代わりに自由もある。それと同時に、外部との打ち合わせもできれば避けている。

ただ、矛盾するようなのだが、嫌々ながら参加した打ち合わせで、思わぬ情報を聞き出せたり、意外なアイディアを聞けたりするケースもある。もっともその時間で本を読んだり、ドキュメンタリー映画を見たりすれば、それ以上の情報やアイディアを得られるかもしれず、積極的に参加はしていない。

先ほどの徹底的な労働時間削減を断行した企業の例に戻る。私は、同社の若手と管理職に、一連の施策について個別に話を聞いた。すると、若手は「良いことだ」といった。管理職は逆に「10年後に問題が出るはずだ」といった。後者の理由は、短期的には良くても、考え抜き、ムダかもわからない試行錯誤を続ける経験をしないと、胆力が鍛えられないからだと。

後者の考えは「古い」といわれるだろう。ただ、私にはそうとも思えない。**よく「儲かる仕事だけやればいい」「成果の出る仕事だけやればいい」といわれる。ただ、物事は単純ではなく、トライアルアンドエラーを繰り返さないと、そもそも何が儲かるか、何が成果を出すかがわからない。**

10時間で70点をとれる仕事はできる。ただ、いっぽうで、１００時間の労働で30点しかとれなくても、いつか１０００点をとれるアイディアを発見するかもしれない。前者は現実主義者で、後者は理想主義者ともいえる。実際に、米国西海岸のＩＴ企業たちは、１００人中一人が天才的な事業を開発できれば〝食える〟ビジネスモデルになっている。

日本型の、製造現場で１００人中１００人のレベルを上げなければならないモデルとは違う。

ＩＴの場合は、天才が開発したモデルを複製すればいいのにたいし、製造業の場合は全員でレベルアップして品質を高めていく必要があるからだ。

そこで、私たちは奇妙な結論に行き着いた。それは**「結果がわからないものには時間をかけろ」「結果がわかっているものには時間をかけない」といった戦略**だ。これは一般的な思考とは逆転している。

前者はたとえば、新規のプロジェクト、新規の事業、書籍の執筆などだ。これは、何が起きるかわからない以上、効率を考えても仕方がない。ちなみに、執筆は、知っていることを書くのではない。書くことによって発見がある、きわめてスリリングな取り組みだ。そして後者は、私たちでいえば講演依頼や、定型的な業務依頼となる。これらは事前に、細部にいたるまで打ち合わせをしたがる客先が多い。ただ、講演などは、ウケてもウケなくても、既存のコンテンツを繰り返すだけだから仕事上の成長はない。それなら、事前には時間をかけず、当日だけ本気を出したほうが効率的だ。

日本は右から左へ、左から右へ、極端に振れる。「なんでも長時間労働」から「差別化した労働分配へ」とこれまた極端に振れる可能性を秘めた国だと思う。

新型コロナウィルスがもたらす覚悟

とくに、これからの働き方を考える際に、新型コロナウィルスの影響は大きい。それは、テレワークの推進だとか技術論だけではなく、もっと根源的なことだ。

中国の武漢を発症元とするこの新ウィルスは、中国の経済をマヒさせ、追随して各国の経済にも大影響を及ぼした。直接的には観光業からはじまり、間接的には中国からの輸入が止まるなど製造業等にも大打撃を与えた。

国による事業者への救済はもちろん必要だが、私は新型コロナウィルスが日本の事業者にビジネスモデルの再考を迫った事実は軽んじてはいけないと考えている。抽象的にいえば、自社の業績が偶然に左右されていないかの自問だ。

日本はかつて高度経済成長期を経験した。ただ、そのほとんどは、人口増加分のみの成長だったと証明されている。つまり、ほとんどの企業は普通にやっていれば、お客が増えていくので、戦略がなくても勝手に成長したのだ。60年代から70年代の企業経営者のインタビューを読んでみてほしい。あまりに低レベルで驚く。現在の部課長のほうがよっぽどまともだ。

ところで、みなさんは自分の生産性を意識して働いたことがあるだろうか。たぶんないだろう。少なくとも私の会社員時代はそうだった。「今日、何時間働いて、付加価値がいくらで、報酬はいくらであるべきだ」と考えながら仕事にあたっているひとたちは、ほとんどいないはずだ。

独立して起業すると、必然的に意識するようになる。稼がないと生活できないからだ。ただ、それは止むに止まれぬ事情といったほうが近い。日本のなかで意識しているのは、製造業などの現場作業者ではないだろうか。

生産の効率は極限まで管理され、乾いた雑巾をさらに絞るような改良が重ねられてきた。私の経験では、某社の工場では、１m＝１秒＝１円と張り紙があった。１m無駄な動きがあれば、それは１秒を無駄にしたことになり、１円のコストがかかるという意味だ。何か作業をやっている時間以外はムダなのだ。モノを取りに行くなど、どうしても動く場合は速く移動する。遅かったら、センサーが自動的にアラームを鳴らすほどだ（！）。

いっぽうで、間接・管理部門の社員は対照的なほど、ダラダラと仕事をする光景が目立つ。まれに、会議室の壁紙に「会議は一人１時間４０００円のコストがかかっている」と注意を喚起している企業がある。ただし少数だ。

日本の生産性は、そんなに悪くない、と話した。しかし、それが、現場の異常ながんばりに支えられているのも事実だろう。いっぽうで、中間調整を主たる仕事としている多数の人たち

は、**やはり付加価値を生んでいるか自問するべきだろう。**というのも、私が評価した現場の仕事は、どんどん新興国に移管されている。大量の労働力をつぎこむスタイルは、もはや先進国にそぐわない。さらに、コミュニケーションツールはＩＴ化によってどんどん進化している。日本人は安穏としている場合ではない。

日本では会議による意思決定が重要視された。会議の前に資料を配って、各自が考えていれば10分くらいで終わる会議も、２時間かける。討議内容が重要ではなく、２時間を共有して、同じ空気のなかで全員が共犯関係になる意味合いが強いだろう。だから、議事録は作成されるのに、「俺はこんな話を聞いていない」と会議に参加しなかったひとが決定事項に反対しだすのだ。全員で雰囲気を醸成しないと決まらない文化があるので、仕方がない。

大半を占める、中間調整人員の生産性を高めるためには、空気の支配から、責任と権限を明確化するしかないと私は考えている。**あなたはこのような権限があります、でも失敗したら責任をとってください、と明確にすることだ。**「こんな話を聞いていない」といわれても、「私の権限で決めました。議事録にも記載しました。責任は私がとりますから、やってください」で終わりだ。

さらに、業務の効率化と同時に、間を積極的につくらねばならない。言葉を換えれば、考えごとの時間だ。生産性をあげるためには、劇的に時間を短縮するか、劇的に付加価値をあげるしかない。それなのに、前者についてはたとえば、エクセルのコマンドキーすらも使えないひとがいる。VBAを学べば5分でできるのに、毎日1時間をかけているひとがいる。文字入力で単語登録もしていない。その他、ソフト等を使えば、相当な時間が短縮できるだろう。

そして後者は、現状維持の視点からは答えが出てこない。いっそのこと、客単価を倍にするためには何をすればいいだろう、と逆から考えてみる。通常1万円の商品だったら、2万円をもらうためにはどうすればいいか。2万円のサービスだったら、4万円をとるためにはどうすればいいか。きっとiPhoneなどもそうなのだ。積上げ思考から誕生したのではなく、人びとに最高価値を与えるものは何か、発想を狂気のように突き詰めていったのだろう。

個人的な話では、私は定期的にセミナーを開催している。セミナーはおおむね1万円くらいから2万円が相場だ。私は5万円に設定している。価格を上げるのが先で、それに見合う内容はなんだろうかと考える。過去には、参加料200万円のセミナーを実施した。細部の説明が主旨ではなく、まだ弊社のウェブページには開催履歴が残っているので、ご興味があれば見てほしい。いいたいのは、**得たい付加価値の設定が先で、その条件を満たす内容を定義するのが重要**ということだ。

誰かが「仕事をはじめたときの客単価から逃れるのは難しい」といった。そのとおりだ。逃れるためには、現在の延長線ではいけない。打開策は非連続性に求めるのだ。

▼稼げる仕事は効率的に。
でも、未知なる仕事は非効率でも、とにかくやってみよう。

3 「日本人はリスクが嫌い」は本当か？

▼日本人はリスクを好んで受け入れている。ただ面倒なことが嫌いなだけだ

思い込み

- 日本人はつねにリスクを避けようとする国民性だ
- 日本はギャンブル後進国だ
- 日本人はカイゼン活動など、面倒なことに取り組む国民性だ

実際は

- **日本人はリスクを進んで引き受けてきた**
- **日本はギャンブル先進国だ**
- **日本人は面倒なことをほとんどやってこなかった**

リスク好きでギャンブル好きの日本人

私は佐賀県出身で、あまり地元には戻らない。ただ、かつて、ひさびさに高校の級友たちと話していたとき、驚くことがあった。地元に就職したかなりの人が消費者金融に手を出していた。私はずっとメタルだとかノイズだとかのアンダーグラウンドな音楽を愛聴してきた。そのような人間の旧友だからエリートたちではない。とはいえ、それでも、私の出身高校は県内では進学校といわれる。

消費者金融に手を出した理由を聞くと、「パチンコ」と「スロット」といわれた。給料日に、ほとんどを使い果たしてしまうらしい。そのような身の上話をされるので、食事代は私が払った。私は、消費者金融が地方の駅前に一角を陣取って営業を続ける経済的な合理性を知った。

現在、株式会社日本信用情報機構が、消費者金融に手を出す対象者数を公表している。その数でいえば、1000万人を超える。さらに、借りている件数でいえば約1600万件にせまる。さらに1件あたりでは、36万円を借金している状況だ。1件だけで借りている人は、39万円の負債を負っている。

1000万人といっても、子どもや病に伏した高齢者が多いはずはない。日本の労働人口が

6700万人だから、7人に一人が消費者金融のお世話になっている計算だ。

さらに、借りている額を見てみよう。2件からであれば71万円、3件で95万円、4件で117万円、5件以上だと149万円になる。これでどうやって返済できるのだろうか。リアル『闇金ウシジマくん』の状態にならないよう祈るばかりだ。

このすべてがギャンブルによるものだといいたいわけではない。また、私は消費者金融を責めているわけでもない。生活の苦しさのなかから、なんとか生き延びるために借り入れを求める人もいるだろう。返済が滞るリスクがあるため、金利は高くならざるを得ない。その意味で、消費者金融は自らリスクをとった商売をしている。ただ、全員が生活苦からではない。借りた少なからぬ比率がギャンブルや放蕩《ほうとう》が原因ではないかと私は考えている。

私は顧問あるいはコンサルタントとして、多くの企業に携わっている。企業が消費者といよいよ契約がまとまろうとする際に、隠れ借金が判明する。その多くは、前述の消費者金融からの借り入れで、結局ローンが組めなくなる。理由を聞くと、やはりギャンブルと返ってくる。私は、こういった実態を見てきた。

調査によるものの、**賃貸で暮らす日本人の3~4割が持ち家を望んでいる。しかし、住宅ローンを組めない理由の多くは借金によるものだ。**

ギャンブルのために20万円を借りるとは、自分の手取りに近い金額を借りて、それを増やそうとする暴挙だ。もちろんうまくいけばその20万円が40万円とか、100万円になるかもしれない。しかし、多くはゼロ円になる。私が驚くのは、**日本人のそれなりの数が、リスクを自ら負って、遊技場に向かう**、その状況だ。

日本人はリスクの高い住宅をなぜ買うのか

日本人はよく「リスクをとらない」といわれる。そもそも、リスクとは、何かの不確実性、変動の激しさを意味する。たとえば、失敗するか成功するかわからないとき、進んでリスクをとろうとしない、というわけだ。それは本当だろうか。

たとえば、不動産の所有状況を見てみよう。日本人の資産状況を確認すると、1世帯あたりの資産額は、貯蓄から負債を引いた金融資産の平均で1042万円。加えて、実物資産が2187万円となっており、その実物資産のうち2083万円が住宅・宅地資産額となっている。一般的に住宅などは、価格の変動が激しく、リスク資産と考えられる。そのリスク資産を、全資産の65％（3229万円のうち2083万円）も有していることになる。

これは、リスクテイカーと思われている米国人ともほぼ近い。また他国と比べても比率は高い。さらに、まだ、米国人のほうがリスクをとっていないとすらいえる。なぜならば、米国で

図8●戸建て住宅が市場取引に占める割合

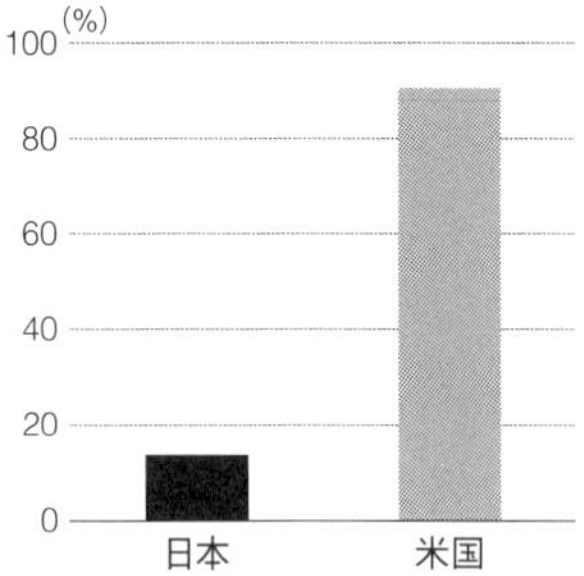

は、中古住宅市場が発展しているからだ。

図8は戸建て住宅が、市場取引に占める割合だ。米国人は、中古住宅市場に放り出すことでリスクをヘッジできるのにたいして、日本人はそういかない。私は無謀といいたいわけではない。図9のとおり、**地価は想像以上に上昇・下落を繰り返している**。もしかすると、これからも特定の地域では上昇がありうるだろう。日本人は、土地の上昇に賭けてきたのだろう。

つまり**日本人は、リスクを負って、住宅を購入してきた**。それはもしかすると、意識しなかった行動だったかもしれない。まわりが買っているから、あるいは結婚したからと住宅を購入してきた。繰り返すが、それが悪いとは思わない。

事実として、日本人がリスクテイカーだったということだ。

ギャンブル機器台数も日本は突出して多い

ところで、冒頭に述べたギャンブルについても見ていきたい。私が調べて衝撃的だったのは、

図9●地価公示価格推移(住宅)

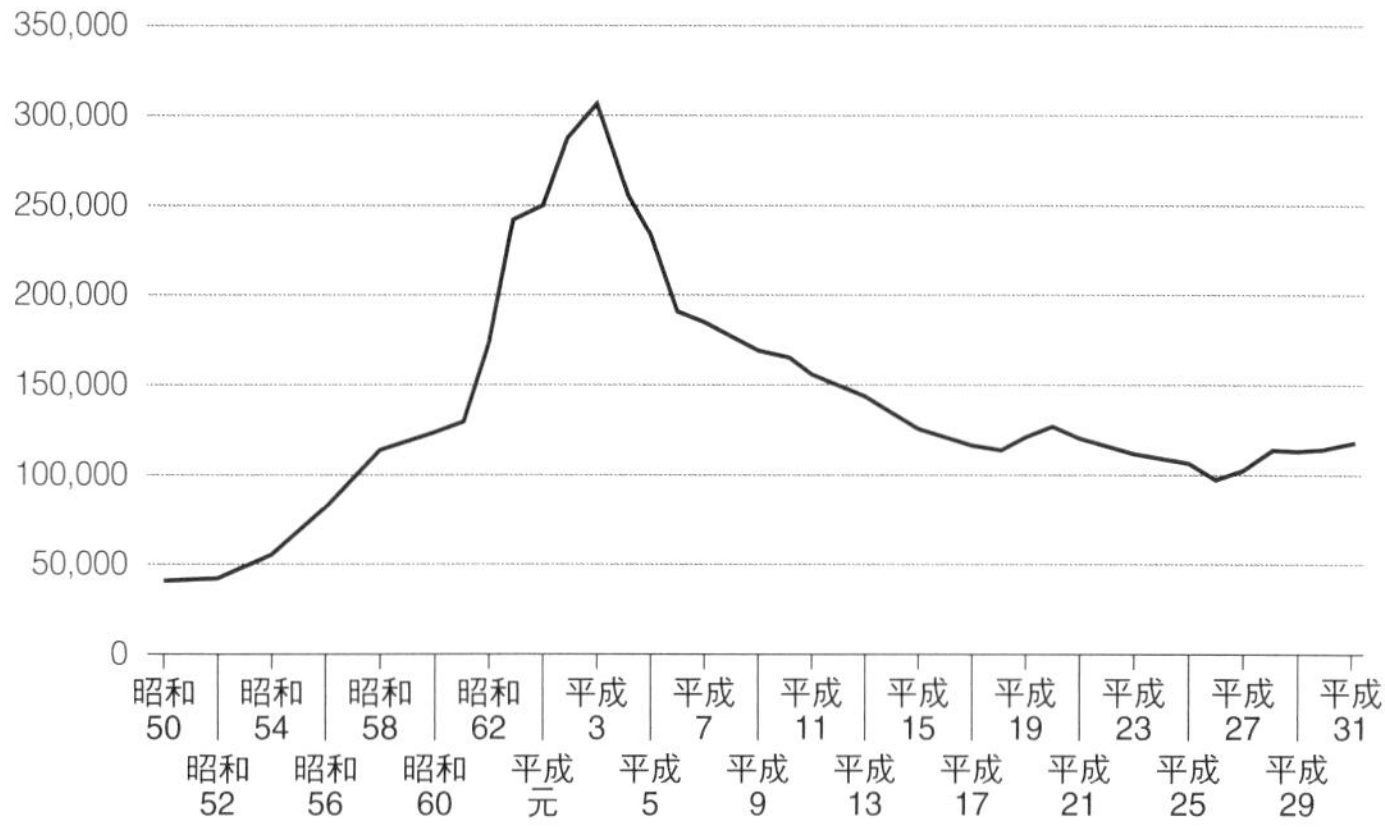

日本がすでにギャンブル王国である事実だ。現在、カジノが日本に招来されている。パチンコなどは建前上、賭け事ではなく、商品交換の遊技にすぎない。ただ、実質上は、賭けのビジネスであるのは当然で、国際的なレポートでは、金銭交換を目的とすると書かれている。

この世界で有名な「The World Count of Gaming Machines 2017」を見てみよう。パチンコ玉はまず景品と交換されるものの、その次には現金と交換される「then in turn for cash from the businesses that operate nearby」と、つまり事実上の賭博とみなしている。

図10はギャンブル機器台数について述べており、圧倒的に日本がトップを爆走している。パチンコの輸出元である韓国はトップ10にすら入っていない。これは韓国でパチンコが廃止されたからだが、それ

図10●ギャンブルマシンの設置台数——

順位	2017	台数
1	日本	4,525,253
2	米国	884,239
3	イタリア	463,931
4	ドイツ	274,500
5	スペイン	201,381
6	オーストラリア	197,021
7	英国	182,916
8	カナダ	100,591
9	アルゼンチン	98,117
10	ペルー	84,396

にしても大きなギャップを感じる。

また、設置台数の歴代ランキング（図11）でも、日本は他国の追随を許していない。

また、公営ギャンブルといわれる、競馬や競艇、競輪もある。これらの売上高は6兆円ほどだ。さらに、パチンコ、スロットは、20兆円あるといわれる。合計するとおそるべき数字だ。もっとも、この数がすべて利益になるわけではなく、客への戻し分を差し引かなければならない。1割としても、3兆円くらいになる。

これは世界のカジノ関連市場が約20兆円といわれるなか、かなりの規模である。世界から見れば、日本はギャンブラー大国なのだ。厚生労働省の「ギャンブル等依存症対策推進基本計画について」においても、国内の「ギャンブル等依存が疑われる者」の割合は成人の0・8％と語られている。しかも、この数字は調査によって異なる。なぜならば、なにをもってギャンブル依存症とするかが困難だからだ。

あえて悲観的にいえば、有限責任 あずさ監査法人が発表した「IRにおけるギャンブル等依存症対策」に面白い数字が載っている。「ギャンブル等依存症」とは「一般的には、競馬等

図11●歴代ランキング

2017	2016	2015	2014	2013	2012	2011	2010	2008
日本	日本	日本	日本	日本	日本	日本	日本	日本
米国	米国	米国	米国	米国	米国	米国	米国	米国
イタリア	イタリア	イタリア	イタリア	イタリア	イタリア	イタリア	イタリア	ロシア
ドイツ	ドイツ	ドイツ	ドイツ	ドイツ	ドイツ	ドイツ	英国	スペイン
スペイン	スペイン	スペイン	スペイン	スペイン	オーストラリア	スペイン	スペイン	英国
オーストラリア	オーストラリア	オーストラリア	オーストラリア	オーストラリア	スペイン	英国	ドイツ	ドイツ
英国	英国	英国	英国	英国	英国	オーストラリア	オーストラリア	イタリア
カナダ	カナダ	カナダ	カナダ	カナダ	カナダ	カナダ	カナダ	オーストラリア
アルゼンチン	アルゼンチン	メキシコ	メキシコ	メキシコ	メキシコ	チェコ	チェコ	カナダ
ペルー	メキシコ	ペルー	ペルー	ペルー	ペルー	オランダ	ルーマニア	チェコ

の公営競技やパチンコにのめり込んでしまい、生活に支障が生じ、治療を必要とする状態をいう」としたうえで、調査年度によっては成人人口の4・8％がギャンブル依存症になるという。約5％とすれば、20人の組織があれば一人はギャンブル依存症となる。

日本人はリスクよりも「やりやすさ」しか考えない

このような話をすると、日本人はきわめて真面目で、それでもリスクをとりたがらないと思う、と反論される。しかし、**日本人は、きっとイメージ以上に、リスクをとり続けた国民**といえる。

金融の世界では、「タマゴを一つの籠に盛るな」といわれる。分散して投資したほうがリスクを分散できるからだ。しかし、**日本は、財産を、日本円と住宅と**

図12●性別・年齢階級別勤続年数

	男女計	男	女	年齢階級（歳）15〜24	25〜54	55〜64	65〜69
日本	12.1	13.5	9.4	2.1	11.6	19.6	15.6
アメリカ	4.2	4.3	4.0	1.1	5.1	10.1	10.3
イギリス	8.0	8.3	7.8	1.7	7.9	13.9	15.0
ドイツ	10.6	11.1	10.2	1.9	9.7	19.4	12.4
フランス	11.4	11.3	11.5	1.4	10.5	21.6	16.5
イタリア	12.2	12.5	11.8	1.8	10.8	21.9	19.2
オランダ	9.8	10.5	9.1	1.8	9.5	20.0	14.9
ベルギー	11.0	10.9	11.0	1.5	10.0	22.2	14.4
デンマーク	7.4	7.6	7.1	1.4	6.7	14.7	17.6
スウェーデン	8.9	8.8	9.1	1.2	7.7	18.5	15.2
フィンランド	9.5	9.5	9.6	1.2	8.4	19.3	13.8
ノルウェー	9.0	9.1	8.8	1.8	7.6	18.4	21.4
オーストラリア	9.7	10.4	8.8	2.1	9.5	20.0	12.0
韓国	5.7	6.7	4.3	0.8	6.1	7.4	3.2

いうたった二つの選択肢に依存してきた。

労働者も、ずっと同じ職場で働くのをよしとする。実際に、同じ職場で働いている年数は長い。まだ比較的に女性はヨーロッパ並みともいえるが、これは出産・育児などの要因を内包する。いっぽうで、男性は勤続年数が約14年と、もっとも高い結果になっている（図12）。

同じ会社で働くことは、それが自身の望むことであれば素晴らしい。あるとき、こんな話を聞いた。私は以前、自動車メーカーで働いていた。その部門は調達部門だった。調達とは、外部の企業から部品や役務・サービスを買い集める仕事だ。そこで、先輩が、取引先はやはり従業員が長く働いている会社が良い、という。

理由を訊くと、品質の問題だという。次々に社員がクビになったり転職したりする会社ならば、きっと適当な検査しかやらない。ただ、ずっと会社にいるのであれば、ずさんな検査をすると、自分の責任が問われる。

試験データを記録する際、適当にテストをして、その結果を残しても、数カ月後に自分はいない――。こんな職場だったら、真面目にやるはずがない。ただ、自分が会社に属し続けるつもりであれば、品質を真剣に管理するに違いない。そんな理屈だった。

実は私も、この先輩の意見に賛同し、さらには共感するところがあった。しかし、相次ぐ日本企業の不祥事を見るにつけ、長期雇用も万全ではないと思うにいたった。仲間で隠蔽して不正行為を温存し続けるのだろう。それよりも、不正ができない仕組みづくりをしたほうが企業には有益だ。すぐにでも退職するつもりの社員であっても、不正できないルール。むしろ、安定的な雇用は、ときとして甘えを生む可能性がある。

一般的に、日本人は製造業などで「カイゼン」などを飽きもせず繰り返す真面目な国民」と自らを認識している。だから、「新たなイノベーションを起こすような、リスクをとる事業は向いていない」とも考えている。しかし、私は少し違った見方をしている。それは、「やりやすかったら、なんでもやるけど、やりにくかったら、何もやらない」に近いと思っている。

たとえば、日本では会社での財形貯蓄がさかんだし、住宅ローンも、周囲に勧められてやりやすい。また、職場でも、製造業ではＱＣサークルといって改善活動がやりやすい環境にある。

さらに、ギャンブルしようと思えば、帰宅時間にパチンコ店に立ち寄ればいい。すべて、ややすかったら、なんでもやる国民なのだ。リスクの大きさうんぬんではない。

国土リスクに賭ける日本人

また、日本には災害リスクがある。地震予知は学術的に不可能であるという学者もいるが、それでも、阪神・淡路大震災、東日本大震災、熊本地震と経験した私たちは、30年にわたって大地震にあわないと信じてはいない。

その意味で、**私たちは、日本というリスクを負っている。**話せば誰もが、日本はいつか大地震が起きると信じている。そして、自分の身近で起きるとも思っている。震度5弱以上の揺れに見舞われる確率は、日本全土のほとんどで26%以上だ。しかし、**日本が壊滅的になっても大丈夫なように、海外に逃げる準備をしている人はほとんどいない。外国語を学ぼうとしている人もいない。まさに日本に一点集中するリスクテイカーである。**

これは皮肉がすぎると思われるかもしれない。ただ、海外の人たちからすれば、やはり日本一点に賭けているように見える。

図13は今後の30年で、被害にあう確率を、さまざまな事象で比べたものだ。わかるのは、日

図13●今後30年での被害確率

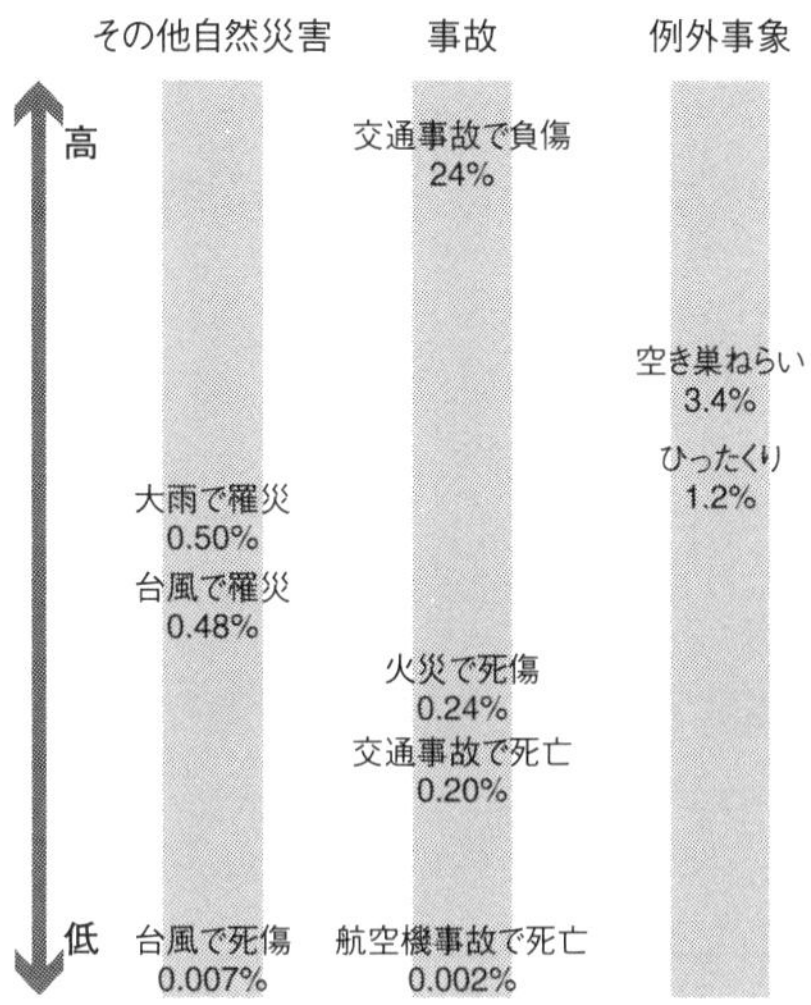

頃、人びとが恐れている事件に遭遇する確率は稀で、よっぽど、地震に罹災する確率のほうが高いということだ。

私は、子どもを守る意味もこめて、海外に家族の永住権を獲得した。しかし、それを話すと、「へえ、すごいですねえ」という反応だけで、具体的手法について質問した知人はほとんどいない。そのあとに、「まあ、日本に住み続けても大丈夫と思うんですよね」と聞かされる。

やはり、私は良い意味で、日本人は日本という国に賭けるリスク許容者だと思うのだ。

言語の壁が取り払われたときの日本への期待

しかし、**日本人は思うほど単純ではない。「やりやすかったら、なんでもやるけど、やりに**

くかったら、何もやらない」国民性だ。したがって、私は、各社が開発している翻訳アプリの恩恵をもっとも受けるのは日本人ではないかと思っている。いまは翻訳アプリといっても、まだまだ誤訳が多い。それにタイムラグがある。

今後、リアルタイムに、そして、読解も日本人が外国語を自在に理解できれば、日本人は制約を取り払い、どこにでも進出するようになるだろう。若い学生も、言語さえできれば、次々に海外の会社にインターンや就職に出向くだろう。なにしろ、給料以上の借金を重ねてギャンブルに賭ける国民だ。私は日本の逆転劇は、ここらへんにあるのではないかと思うのだ。

また、ここで個人への処方箋も書いておきたい。

突然だが、あなたは音楽が好きだろうか。好きならば、あなたはグローバリストといっていい。音楽は一国の文化だけでは成り立たない。ロックは英国が起源だが、彼らは米国のブルースに影響を受けている。ただブルースも南米やアフリカの黒人音楽がなければ誕生していない。多数の国にまたがるのが文化の成熟の条件だ。

大げさな話だが、いろいろな国と混じり合うのが正解だ。私が海外に居住地を求めた話はした。**海外はハードルが高くても、せめて国内でリスクの分散を図るべきだろう。自分が前提としている依存先は、実はもろく儚いことを自覚すべきだ。**

タイタニックのような客船が沈むと、最後まで船にとどまっていると、急激な傾きに体勢を崩し波に飲まれてしまうという。できるだけ早い段階で海に飛び込んで逃げるほうがいい。もちろんこれは、自分が属する会社と、自分のスキルを意味する。

経営者も同様だ。これほど流れが急速な時代で、社員を終身雇用できると考えるのは、つけあがりではないだろうか。栄枯盛衰があり、悪いタイミングでは社員を手放さざるを得ないと正直にいっておくほうが真摯《しんし》だと私は思う。

それに人間は怠惰だから、慣れた環境では、どうしても自己変革を起こしにくい。人生100年時代に突入する。20歳から働いたとしても、労働期間は80年もある。一つの仕事だけではなく、三つか四つの仕事を経験すると覚悟しておいたほうがいい。そして、その分散思考こそが安定をもたらす。

私はコンサルティング業務に従事しているが、事業会社10年、その後コンサルティング会社10年と、実務と指導を繰り返したほうがいいのではないかと主張している。

ではどうすれば、複数に分散できるだろうか。故スティーブ・ジョブズは「connecting the dots」と語った。これは、私なりに解釈すれば、**「なんでもいいから、面白そうなことをやってみろ、そうしたらいつかそれらがつながって仕事になっているから」**となる。ビジネスパーソンが面白いと思って、シタールを練習してそれを動画サイトにアップロードしたら、世界中で有名になってグローバルなビジネスに展開できるかもしれない。

高校のときに確率を学ぶ。一極集中は危ういと、誰もが知っているはずだ。いまこそ理屈どおりに分散を試みてみよう。

▼現在の仕事に依存しすぎていないか批判的に見てみよう。

4「日本は起業しにくい国」は本当か?

▼人口あたりの開業率は日本もアメリカもほぼ同じ

思い込み

- 世界と比べて日本では起業する人が少ない
- 望まない非正規雇用が増えている
- 日本人は優秀で能力は十分にあるため企業は社員に満足している

実際は

- 日本人の人口あたりの起業率は米国と比べても遜色がない
- 望んで非正規になる人たちが続伸している
- 従業員の能力不足を感じる企業の割合が、他国と比べて圧倒的に多い

起業しにくい国で起業する若者たち

若い私がもっとも悩んでいたのは、給料が低すぎることだった。思い出すのは、前職でのこんな風景だ。

澄み切った空。乾燥した空気。隣から聞こえる芝刈りの牧歌的な音。

「いつ、アメリカに来るんだ?」。私の隣に座っていたデイブが訊いてきた。「できれば2、3年のうちに。仕事が見つかればいいけれど」と私はいった。

デイブはアイルランド移民の二世で、中国からの移民女性ニーナを妻に迎えていた。私は前職でデイブと関わることがあり、私が仕事を辞したあとも、機会があるたびに会う機会を設けていた。私は、いつかアメリカに住みたい、とデイブに夢を語りながら、実現させることができずにいた。

2011年の5月。調達・購買・サプライチェーンの専門研究機関であるISMの年次総会の帰り。仕事の休みをとって、私はアメリカ・コロンバスのデイブの家に遊びにきていた。バーベキュー用のグリルがセットされた庭に簡易椅子を二つ作って、デイブと私はアメリカの政治から文化、そして、大げさにいえば、今後の人生についてとりとめのない会話を重ねていた。

「実は、3番目の家を探している」。デイブは教えてくれた。「売ることを前提にこの自宅も購入した。だから、自分たちには子どももいないのに、ベッドルームが三つもあるだろう」

デイブは妻のニーナがより広い家に住みたがっていることと、リーマンショック後の地価下落局面では、底値で自宅を購入することがいかにお得かを私に教えてくれた。

「アメリカ人は、現時点の自宅を終《つい》の棲家《すみか》と考えていない」。デイブは、子どもを育てたあとは、気候の温暖なオーランドでゆっくりと暮らすことを夢見ていた。

そのころには、デイブは何軒目の家を購入することになるだろう。

「日本人の家は狭い」。日本に滞在歴もあるデイブは、私にそう語り、「アメリカに来れば、同額でこの家に住める」と後ろの家屋を指さした。デイブは3本目のビールを空けようとし、勧めてくれたが、私は遠慮がちに断った。

なぜだか、あまり酔わなかったことを覚えている。

隣の家では、まだ17時だというのに父親が帰宅し、子どもと芝刈りをして楽しそうに笑っていた。幼い子どもがバットを振り回し、母親は遠目で眺めていた。日本ではもう見ることのない光景がそこには広がっていた。

ひたすら働くだけの自分が急に虚しくなった。

日本では、みな住む場所の制約を受け、仕事の制約を受け、妥協と諦観のなかで日々を過ごしている。

しかし、日本人はみな、その不遇を所与として生きるしかないのだろうか。同じ中流階級でも日本よりアメリカは豊かに見える。アメリカは資源にあふれている。だから、同じ5万ドルほどの収入でも、アメリカのほうが豊かに暮らせるのだ、といってしまえばそれまでだ。もちろんアメリカにも格差はある。ただ、両国で中流階級の暮らしを眺めた人はアメリカに憧れを抱くのではないだろうか。

空のビールのラベルには「Blue Moon」と書かれていた。「めったにあり得ないこと」を意味する言葉だった。

私はそこから、自分がどこにいても豊かな生活ができることは「Blue Moon」ではないだろう、と願い、そして模索してきた。

「日本人は起業しない」は本当か？

アメリカンドリームとよくいう。しかし、ジャパニーズドリームとはいわない。日本は閉鎖的で一発逆転をねらう若者が少ないともいわれる。それは本当だろうか。前項で私は、日本は起業しにくいと思われていると前提を置き、論を進めた。本項では、その前提すら疑う番だ。

図14●開業率

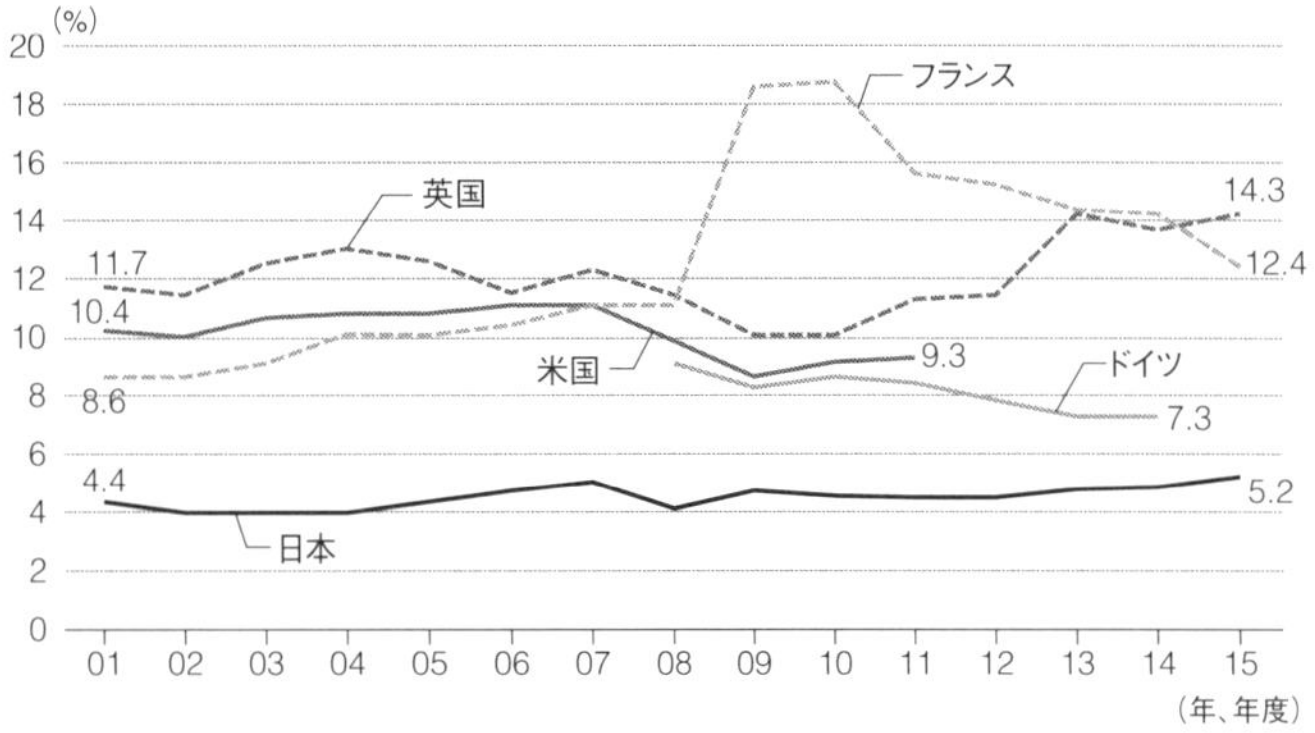

図14は、日本が国際比較上、開業率が低いと示す中小企業庁のデータだ。ここから、日本は起業家精神がないと指摘される。**論者によっては、これをもとに、日本は「終わった」国だから、若者が起業しても成功しないから、世界に出て行けと主張するひともいる。**

なるほど、たしかに、これは明確な数字だ。これを見ると日本は既得権益者が牛耳っており、あらたな起業家を排除しているように思える。しかし、私が注目するのは、中小企業庁がこのグラフを紹介した際の注釈だ。

〈国によって統計の性質が異なるため、単純に比較することはできない〉とある。単純に比較できないのに、しかし、このグラフは日本の開業率が低いと単純な結論を呼んでいる。誰も考えないものの、この開業率とはどんな計算式で算出しているのだろうか。

そこで定義を見てみると、〈開業率とは、有る特定の期間において、「〔1〕新規に開設された事業所（または企業）を年平均にならした数」の「〔2〕期首において既に存在していた事業所（または企業）」に対する割合であり、〔1〕／〔2〕で求める〉とある。

驚くひとがいると思う。なぜならば、中小零細企業がもともと多いとされる日本において、母数が〝既に存在していた事業所〟であれば、少ないのは当然ではないだろうか。

ここで、計算し直してみよう。まず統計を見ると、個人企業と会社企業にわかれている。その開業数を見てみると、24万件となる。

そして、米国を見てみよう。開業数は、厳密な数字ではないが、米国は60万社となる。

もっとも、国によって、こまかな会社の定義も異なるため、厳密な比較はできない、と各種統計も語っている。この数字をあえて使えば、次のようになる。

●日本：人口1億2000万人、24万件↓一人あたり開業率は0・20％
●米国：人口3億3000万人、60万社↓一人あたり開業率は0・18％

なお労働人口で計算してみると次のようになる。

●日本：人口6720万人、24万件↓一人あたり開業率は0・36％
●米国：人口1億6200万人、60万社↓一人あたり開業率は0・37％

意外な結果だが、**米国人と日本人のベンチャースピリッツにさほど差がない**（図15）。

図15●米国と日本の開業率

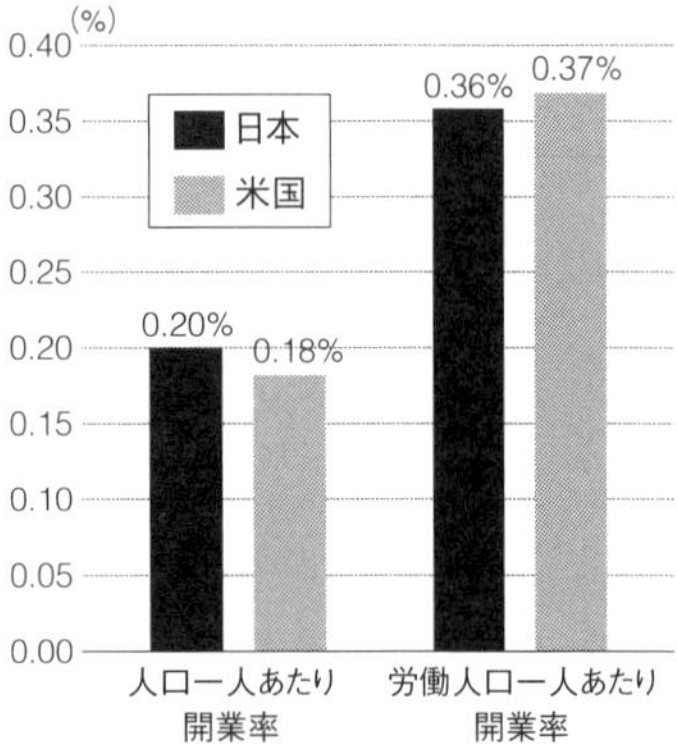

日本人が起業しにくいかというとそんなことはない。人口あたりの開業率でいえば、ほとんど変わらない水準にいる。

なお、この結果にたいして、「開業率は、個人の開業する小商いではなく、多人数の会社で比較するべきでは」といった意見もあるかもしれない。しかし、いくつかの先行研究でも、日米差は見られない（たとえば松本和幸さんの「企業数と新規開業率の国際比較」では「従業員5人以上の事業所の新規開業率は低く日米で大差はない」としている）。

起業しにくさと起業しない人の関係

なお、２０１４年の中小企業白書が指摘したように、開業率が高いほど、全体の新陳代謝がさかんなのは間違いない。その意味で、日本はもっと開業率が高いほうがよいかもしれない。

しかし、前述の結果を受けると、図16もきわめて面白く見えてくる。

これは、起業環境の国際比較で、よく使われる。日本が世界のなかで、起業しやすい環境が劣位にあると説明したうえで、手続きなどの煩雑さを語ったものだ。しかし、起業するための書類の枚数によって、起業しなくなるものだろうか。日数が縮まったら起業しやすくなるものだろうか。断言できないものの、私には実感がない。というのも、面倒だったから、途中で会社設立をやめた、という人がまわりにいないからだ。会社設立を代行してもらってもいい。日本ではさまざまな商習慣があり、**開業の面倒くささに耐えられない人は、開業してもうまくいかないのではないだろうか。**

事実、これは同じ２０１４年の中小企業白書が調査した、起業の準備に踏み切らない理由では、手続きの煩雑さや、会社設立の日数などが出てこない。むしろ、もっとも高いのは、「収入、やりがい、プライベートの面で現状に満足している」となっている（図17）。

私は給料が低すぎる悩みをもっていた、と書いた。そうではないひともいるだろう。私は自分の

図16●世界の起業環境

	総合順位	会社登記に要する手続き数	会社登記にかかる日数	開業コスト
シンガポール	3	3	2.5	0.6
香港	5	3	2.5	0.8
アメリカ	20	6	5	1.5
イギリス	28	6	12	0.3
韓国	34	5	5.5	14.6
フランス	41	5	6.5	0.9
ドイツ	111	9	14.5	4.7
日本	120	8	22	7.5

図17●起業の準備に踏み切らない理由

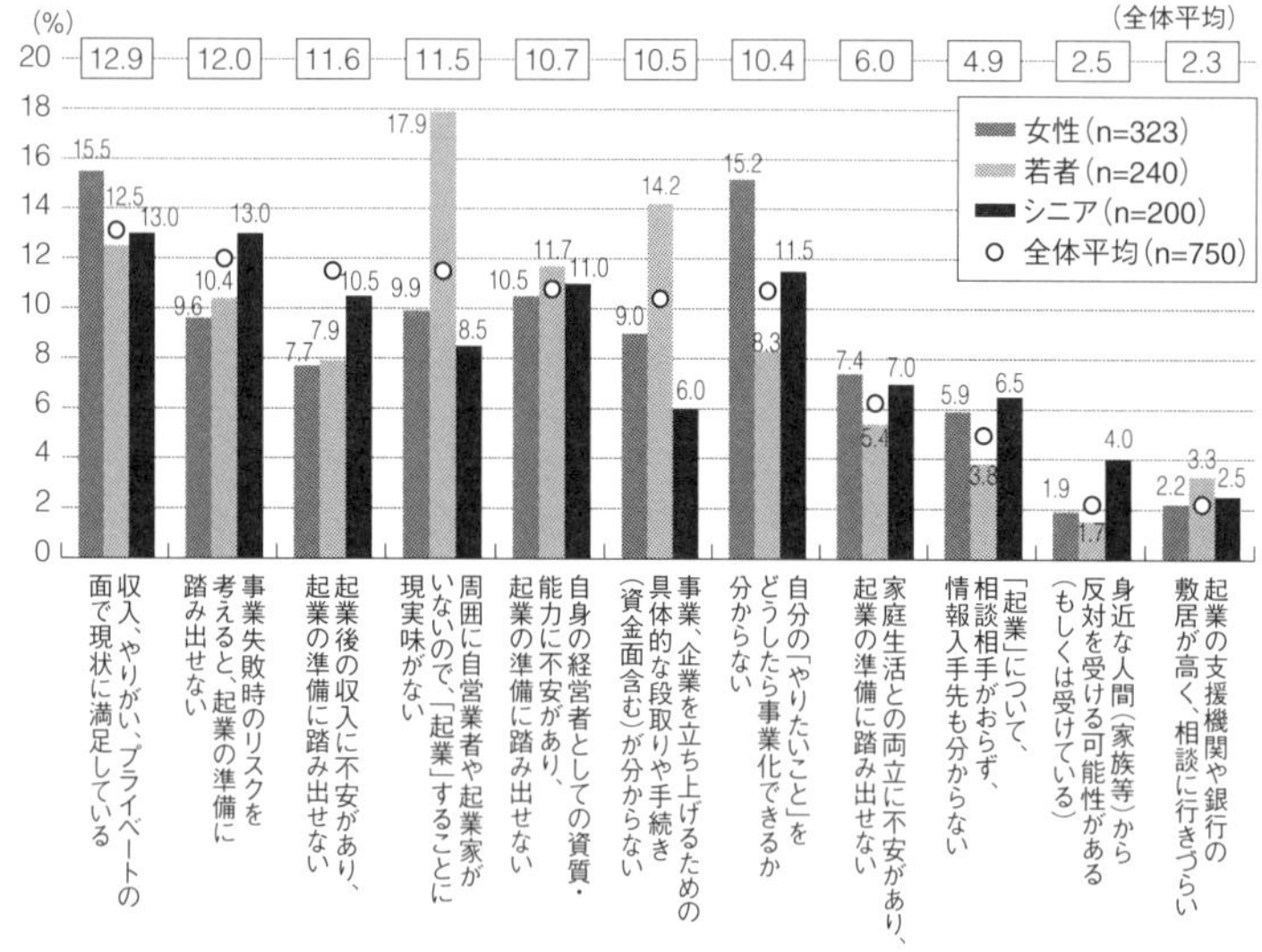

知識やスキルが世間で通用するか、挑戦したいと思った。しかし、同じくそんなことを考えないひともいるだろう。その意味で、そういった人間の日米における登場確率は同じくらいかな、と思うと、妙に腑に落ちる。

非正規雇用を望む人たちの増加

かつて「いつかは正社員」というコマーシャルがあった。発信元は政党だったり、正社員を斡旋《あっせん》する企業だったりした。そういうキャッチフレーズを発信すること自体が、なんだか気持ち悪かった。

もっとも正社員になりたくてもなれない人にとっては大きな関心事には違いない。ただ、何の仕事をするかという目標ではなく、雇用形態という手段を前面に出すあさましさに驚いた。もっとも、私は、非正規よりも正規雇用のほうが精神的にも安定するはずだ、という意見は肯定する。

よく使われるのが図18で、非正規の従業員がひたすら伸び続けている事実がある。男女の性差には無関係だ。

正直にいえば、私にもこの問題意識はある。しかし、注目したいのは、非正規雇用のうち、「不本意」の労働者数が減少していることだ。不本意とは非正規となった理由として「正規の職員・従業員の仕事がないから」と回答した者たちだ。

多くは、「自分の都合よい時間に働きたいから」だ、としている。もちろん、65歳以上での比率があがっていることは考慮しなければならない。だから、全員が望んで非正規雇用になっているといいたいわけではない。それに政治家が「好きで非正規雇用を選択しているひとたちがいる」と問題解決を放棄するのは乱暴だ。

しかし、企業が正社員も足りない労働者不足にあると答えている状況にあって、多様な事実に照らすことが重要だろう。

この章は起業を取り扱っている。批判を承知でいえば、**私は非正規雇用で時間を創出し、そ**

図18●雇用形態別にみた雇用者数の推移

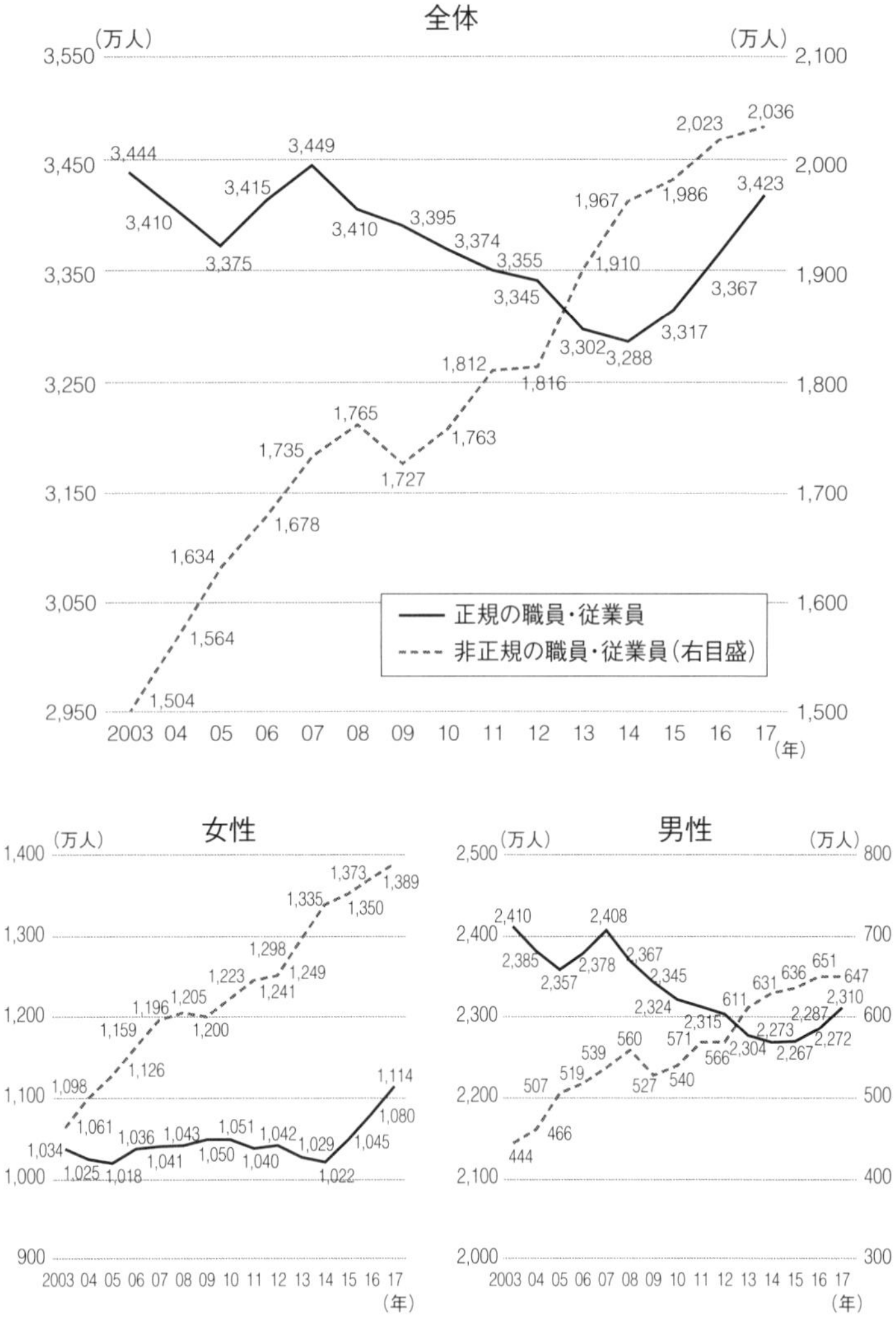

のあいだに起業準備を進めることも一つの戦略ではないかと考えている。これは私の経験にもよる。私は起業を試みた際に「恐い」という感情が突然に沸き起こってきた。社会に放り出されてやっていけるだろうか、という土壇場での懸念は、それまでの自信をただちに打ち消すものだった。

たとえば、起業を志す正社員A君がいるとする。A君の希望により、会社がA君を非正規に切り替え、働く時間を短くしてくれたらどうだろう。会社にとっても、業務に慣れたA君がいきなり辞めるより良いし、A君にとっても最低限の生活はできる。A君は余裕のできた時間に起業準備とビジネスを試行錯誤する。もちろん、うまくいかないひとも出てくるだろう。そんなときは、会社に頼んで正規として再び雇ってもらえばいい。

出世スピードは落ちるかもしれない。ただ、何も挑戦せずに悶々とした会社員人生を歩むよりは白黒はっきりしていい。そして、それが逆説的に会社への忠誠を生むかもしれない。

その主張の根拠に、図19のような厚生労働省のデータがある。日本人は自身を優秀だと思ってきた。なのに、産業の規制や既得権益によって行き詰まりを迎えていると信じている。しかし、実際には、業務を遂行するにあたって、労働者の能力が不足していると考える企業は世界のなかで群を抜いている。

個人に仕事をつけずに場に仕事をつける以上、仕方のない側面もある。ただ、労働者は能力

図19●ある業務を遂行するに当たって、労働者の能力不足に直面している企業の割合

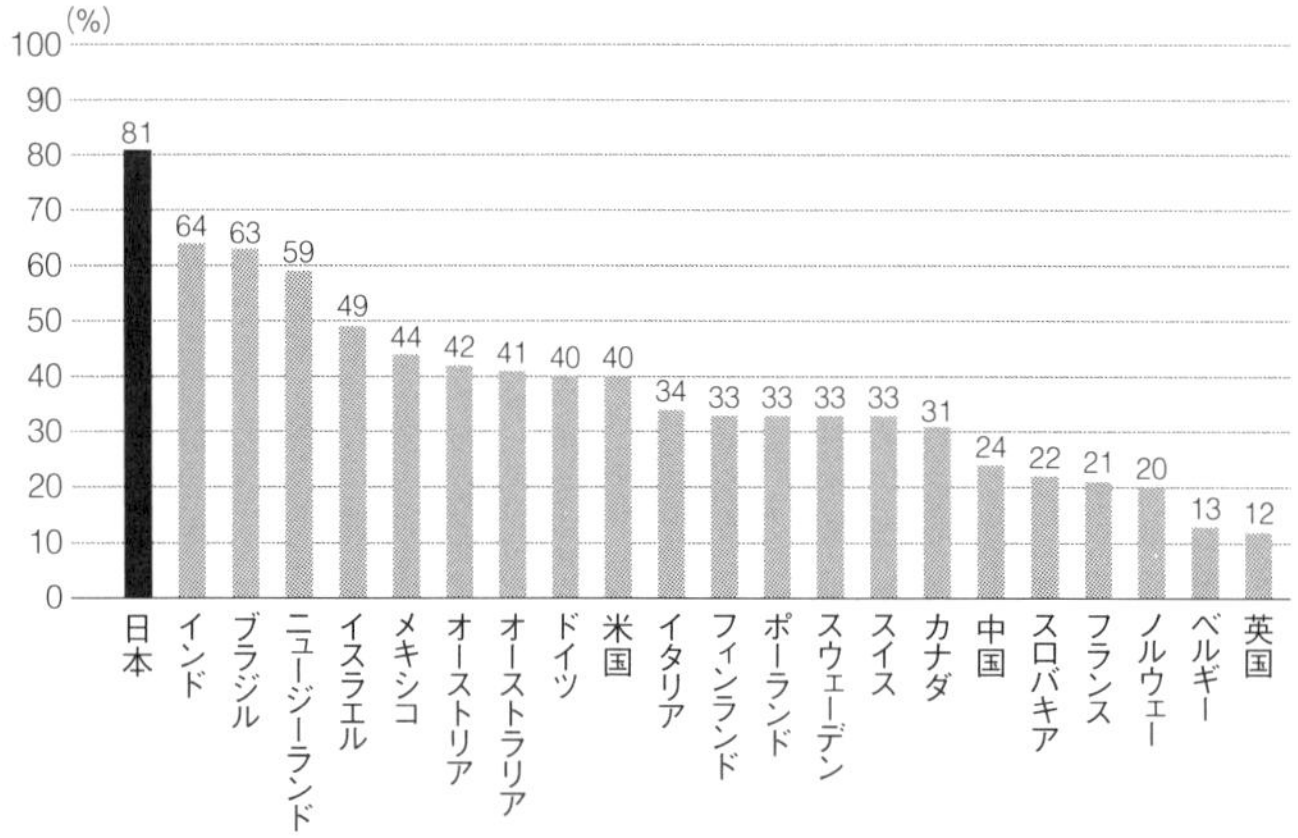

不足と思われ、さらに企業もそれに教育を施す余裕をもっていない。図20は、スキルや学歴のミスマッチを示したもので、同じく日本が高水準にあるとわかる。

つまり、**とりあえず優秀そうなひとを入社させるのが日本であり、実際の仕事は、その個人にもっともフィットしない部門や仕事である場合が多い。それであれば、生きる意味を見出す場所として、起業も一つの選択肢になっていい。**

図21はリクルートキャリア「就職白書2018」での状況だが、いまだに企業が重視するのは人柄だ。この状況を、私は悪いとは思わない。企業は結局、人間の集まりだから、「いい人」が採用され、組織を円滑に動かせば生産性があがる。ただ、専門性や希望を無

図20●労働者が現在就いている職務と各スキルのミスマッチが生じている割合

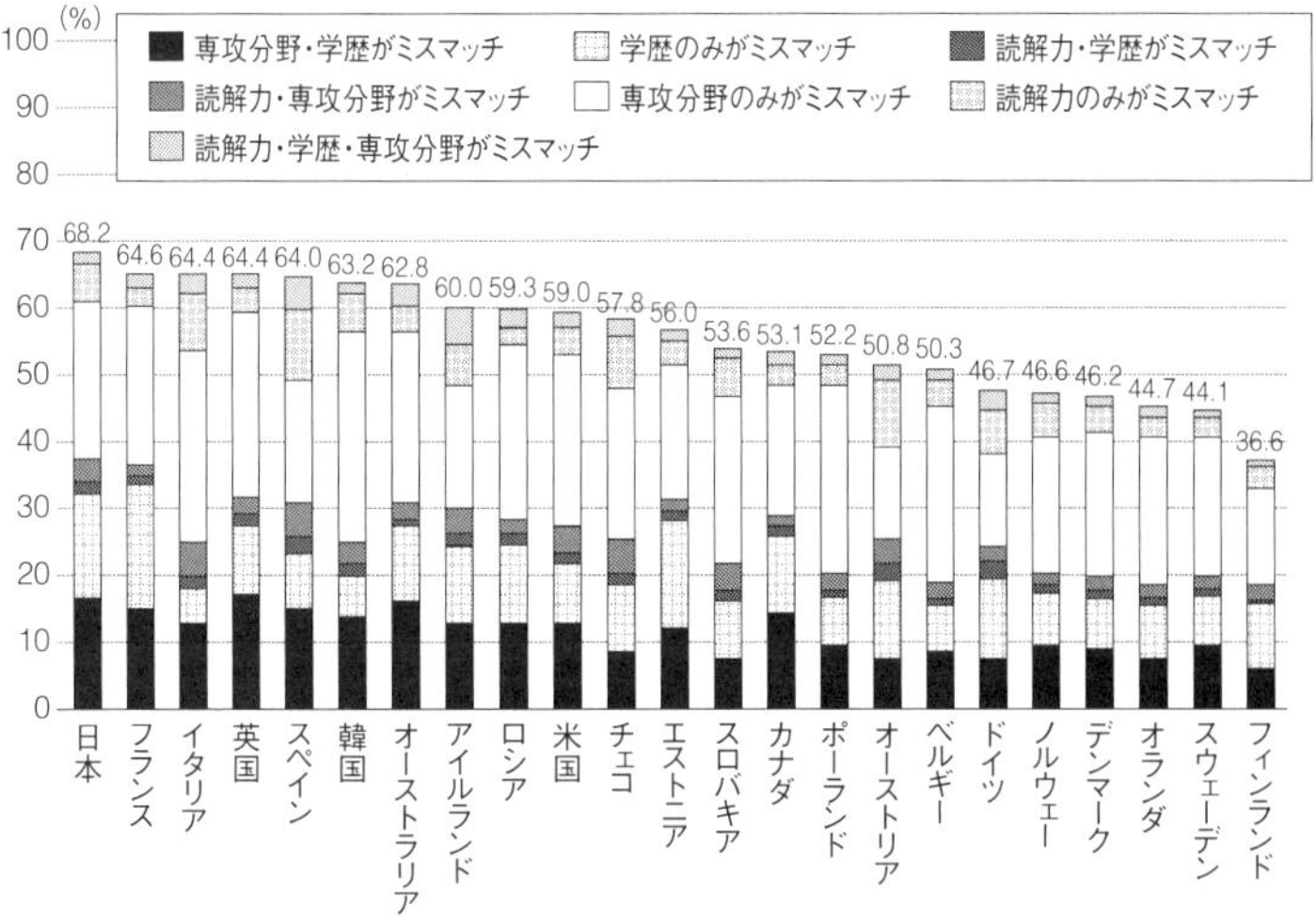

視し、あまりに人柄重視となっている点が問題だ。

少なくとも、企業の人事部に訊けば、「人柄だけではなく、特性や適性を総合的に勘案して配属先を決めている」というだろう。おそらくそのとおりだと思う。と同時に、先に紹介したように、それでもなお日本企業は労働者が能力不足と感じているのも事実だ。

組織としてのミスマッチはどうしてもある。それならば、勤務形態を変えながら、個人の将来についてより後悔のない道を模索する機会があってもいい。私は起業家と勤め人が、どちらがいいと判断するのではなく、柔軟に交差しながら、社会の多様性を深めていくのが良いと信じている。

図21●企業が採用の際に重視する項目　●学生が面接等でアピールする項目

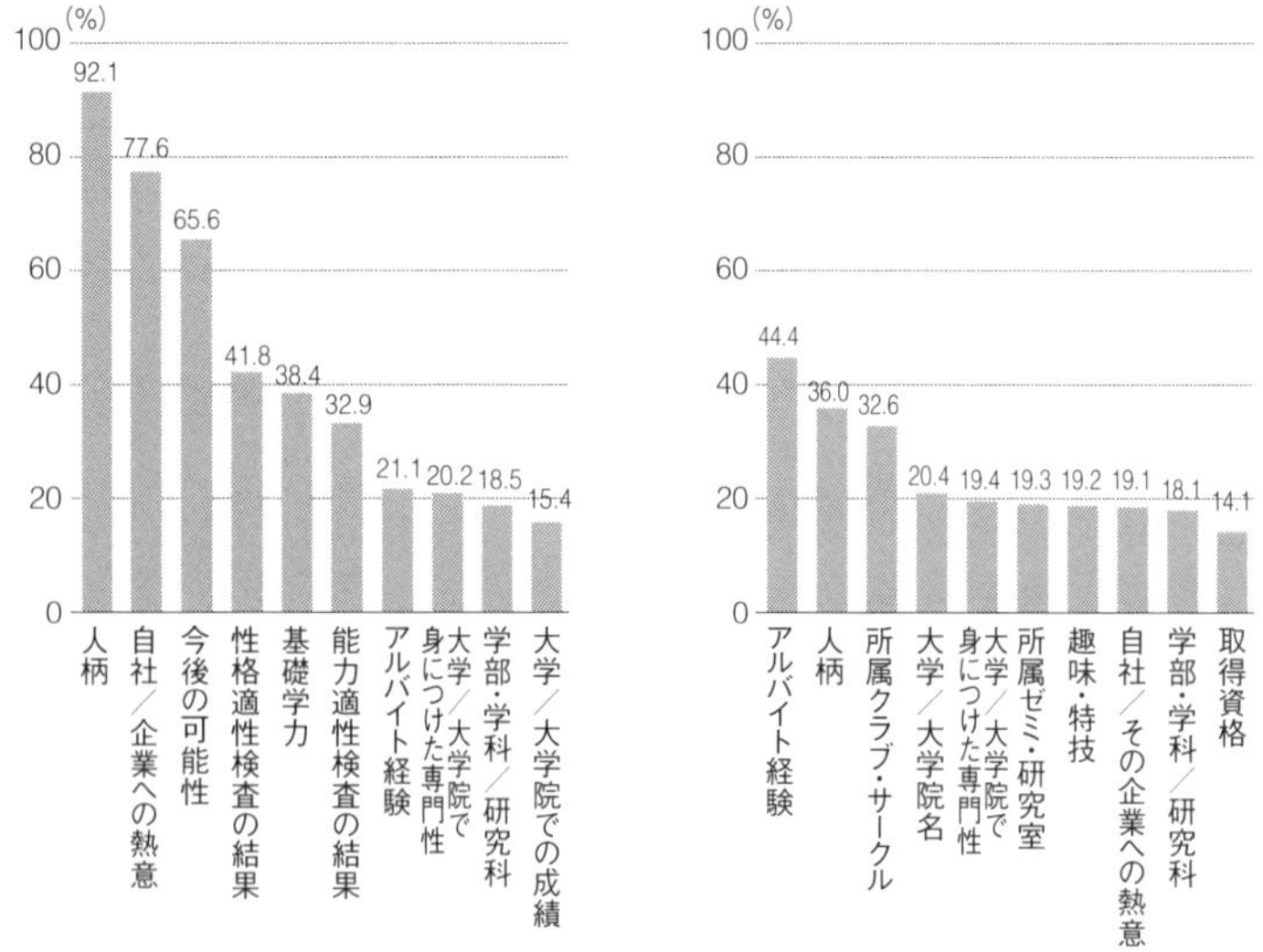

起業促進策はあるか

なお、起業といっても、私の実感からすると、個人事業主に限りなく近い起業と、組織でイノベーションを起こそうとする起業には隔たりがある。もちろん、個人事業主に近い起業であっても、将来、多くの雇用を生む可能性がある。ただ、何が違うか。それは、キャラクタービジネスか否かだ。キャラクタービジネスとは、個人を売りにする。個人にお客がつく。いっぽう組織は、商品やサービスに客がつく。

　この世界では、よく「スケール」という。スケールとは比例的に事業が拡大することだ。しかし、キャラクタービジネスでは、一人が動かなければ売上高に結びつかないから、足し算でしかビジネスが伸びていかない。

キャラクタービジネスは国などが促進しなくてもよい。というのは、**情熱があり、自分自身をなんとか社会に知らしめていきたい怨念に似た感情は、生まれつきのものだからだ。**私も含めて勝手に異分子は生まれる。問題は、組織の起業だ。どうすればいいか。私が思うには、出口戦略の充実だ。

会社を売却する手法が多様になってきた。それでもまだ足らない。**ある程度会社を大きくすれば、これだけの金額で売却できるという夢を見せることが重要だ。**がんばって起業して数年で顧客を確保したら数億円で売却できるとしたらそれはなかなか夢として成立するのではないだろうか。現在では、会社売却のために、事業主が相談して、M&Aの専門家が手がけても1年はかかる。

これは大企業も期待するところだ。というのも、日本企業は承認が多段階になっており、新規事業を立ち上げることが事実上不可能だ。だから、日本企業はすでに成功している企業を買うしかない。

そんなとき、売却したいと思っている企業の一覧と、買収できる金額を正しく評価してくれる仕組みがあれば、「この企業を買収すれば、どのようなシナジーが期待できるか」と大企業担当者が夢想できる。その夢想こそ、日本における新規事業戦略そのものだ。

たとえば、私の会社は企業の予算執行決裁権をもつ数万人のメールアドレスを有している。現在は、正しい予算執行と、執行予算の適正化を実現するコンサルティングサービスしか提供できていない。これも、他分野のひとが知ったら、多くのビジネスチャンスを嗅ぎ取るに違いない。

▼個人の起業は勝手に進む。
組織の起業にビジネスチャンスはある。

5 「日本人は会社が好き」は本当か？

▼日本人は外資系企業以上に会社に対してドライ

思い込み

- 日本企業は実力主義の外資系体質を嫌っている
- 日本企業は外国の資本が入ってこないよう鎖国を続けている
- 日本人は謙虚で自分を低く見ている
- 日本人は自社が好きだ

実際は

- 日本企業は外資系以上に実力主義体質
- 先進国のなかで外国人株主比率がきわめて高い
- 日本人は自分は役に立たないとは思っておらず、職業選択も収入を目的にしている
- 日本人は自社嫌い

会社を経営する側、会社で働く側の思い込み

私は大学で経済学を学んだ。経済学科と経営学科があり、双方の授業をよく聞いた。数式をいじりまわすだけの経済学よりも、企業を研究する経営学のほうに親近感を覚えた。しかし、そのときまでに18年間ほど日本で暮らしてきたからか、完全に納得できない点があった。

たとえば、株式会社というのは、株主が集まって設立する。だから会社は株主のものだ。株主は取締役を選ぶ。取締役会が代表取締役を決める。取締役は経営のプロが専任される。そう聞かされた。所有は株主、経営は取締役会。取締役は報酬をもらう代わりに、株主から厳しい目でチェックされる。

でも、私の父親は小さな会社で働いていたが、そこの社長が株主という人たちの意見を聞いて経営しているようには見えなかった。取締役は経営のプロといっても、内部から出世してきただけではないだろうか。

と思っていたら、そういう中小企業の場合は、社長が株主でもあるため問題ないらしい。ただ、大企業の場合は、無数の株主と経営を担う取締役は分離されていると聞いた。

私はいわゆる大企業に勤め、そして、零細企業で雇われもした。さらに起業もした。少なか

らぬ企業経営者たちとも触れ合ってきた。そのうえで、やはり、教科書と現実とのギャップに違和感を拭えずにいる。

たとえば企業が不祥事を起こしたとする。そのとき、企業のトップが出てきて、「株主や取引先、お客様などステークホルダーの方々に、会社の代表としてお詫びしたい」と述べる。株主がステークホルダー？

この発言は、大企業の経営陣が「会社は株主のものではない。自分たちのものだ」と思っている証拠ではないだろうか。株主はステークホルダーではなく、会社そのものであって、経営陣は株主から選ばれた立場にすぎない。もちろん私も、広くステークホルダーの意味には株主を含む場合があるのは知っている。しかし、先の発言に誰も疑問すら感じないのは、日本人が「会社は社員と経営者のものだ」と信じているからだろう。株主を、経営成績を伝えて配当を払う対象としか考えていないのでは？

ところで、多くの非上場企業では、株式の譲渡制限が定款で謳《うた》われている。どういう制限かというと、取締役会の合意がないと株式を売却できないというものだ。

創業者が死ぬとする。息子、あるいは娘が株式を相続する。自分が経営を引き継ぐ資質はないため、その株式を第三者に売ろうとする。父親の番頭たちで構成された取締役会は、その第三者に売るのを許さず、売却先を指定してくる。あるいは自社で買い取る。これは違法ではない。現実には、株主が経営陣を選んでいるのではない。経営陣が株主を選んでいるのだ。

これが私の指摘したい1点目で、**株式会社という仕組みが破綻している現実**だ。経営者は、あくまで経営を委ねられているだけであって、会社を私物化し暴走しないよう意識せねばならない。

会社を眺める側の思い込み

ところで、日本でこの種の話をすると、つねに困難さがつきまとう。感情論にすり替えられ「外資系企業のように利益だけを求める経営は良くない」とか「全員経営こそが理想の姿だ」などと、反論者は倫理的な批判を繰り返す。

外資系が日系企業を買収するとき、「ハゲタカ」だとか「カネ儲け主義」といったレッテルをメディアが無前提に使っていたケースがあった。日系企業が外国企業を買収するニュースは、好意的に書かれている場合もある。外資はダメで、日系企業は良いらしい。

外資系企業が日系企業を買収するのがイヤなのであれば、他の日系企業が、その外資企業以上の買収額を提示すればいいだけの話だ。

また、外資になると経営方針が変わるというものの、そもそも会社が株主のものである以上、取締役や従業員は、その方針にしたがうのが当然ではないだろうか。業績をあげてきたのに、これまで日本人株主から正しく評価されていなかった経営者であれば認められる。取締役であれば、株主からその実力を認められて選任されるため、もし株主から辞めろといわれたら、潔く退任すればいい。株主がその人の実力を低く評価していたとしたら、どこかの企業でまた働けるはずだ。

さらに、内部留保（利益剰余金～正確ではないが溜め込んでいる現金等）を多く有する企業にたいして、それを株主に還元せよと叫ぶファンドマネージャーらが批判されているのもわからなかった。

会社は株主のものであり、ムダに放置している現金等があれば、それを株主に返すのは当然のことだ。また、内部留保を積み増したほうが、株主の考える企業価値を最大化できるのであれば、それを説明すればいい。むしろファンドマネージャーはまっとうな仕事をしているといえる。

それだけの話ではないだろうか。これが私の指摘したい2点目で、世間がもつ外資系、あるいは株主優先主義については、誤解に基づいている。これはもちろん、だから何をしてもいいわけではなく、企業活動については多くの法による制約があり遵守するのは当然だ。

また、日本企業では、重役しか使えない宴会場、重役だけの多額の接待交際費、天下りなど、他国の法律に照らせば無数の背任行為が日常茶飯事化している。**「日系はクリーンで、外資は金に汚い」というイメージは間違っている。**

「外資系」「日系企業」という言葉自体への思い込み

日本企業の上場株式を売買する6～7割くらいが、すでに海外投資家によるものだ。多くの企業は、もはや大量の海外投資家が株主となっており、「外資系企業」「日系企業」といった区分けは意味が薄れている。

たとえば、本稿執筆時点（2020年3月時点）で代表的な「日系企業」と思われている外国人株主比率は次のとおりだ。

- ●東芝：65・30％
- ●日産自動車：60・90％
- ●ソニー：56・50％
- ●任天堂：52・40％

●富士通：50・40％
●良品計画：47・00％
●三井不動産：46・40％
●カルビー：46・30％
●日立製作所：45・60％
●資生堂：42・60％
（上場企業のなかから任意で抽出）

一般的に会社の株式を33％以上取得すれば、拒否権が発動可能だ。会社の経営上の大きな決断について左右できる。外国人株主といっても同一企業や同一株主ではない。しかし、それでも外国人株主比率がこれほど多いとは、イメージが異なるのではないだろうか。

先ほどあげた企業のなかには典型的な日系企業と思われているところもある。たとえば、富士通を「外資系企業だから、日系企業とは異なる」とする論は読んだことがない。それに繰り返すと、もはや**「外資系企業だから」「日系企業だから」と分けるのには意味がない。**

さらに、少し前、2015年の資料ではあるものの、経済産業省「持続的成長に向けた企業と投資家の対話促進研究会」の報告書が参考になる。

図22は主要国における株式所有構造を見たものだ。意外にもこの比較においては米国がもっ

とも外国人の株主が少ない。日本では金融機関の株式持ち合いが多いのは指摘されてきた。しかし同時に外国人の比率が国際的に低くない。

以上、これが私の指摘したかった3点目で、見てきたように、すでに外国の資本はたくさん入っている。株主比率からいえば、日系上場企業の多くはすでに外資系企業である。

図22●主要国の株式所有構造

	日本	米国	英国	ドイツ	フランス
事業法人	21%	ー	2%	38%	21%
金融機関	17%	1%	1%	5%	4%
年金・保険	7%	21%	10%	10%	4%
投資信託	5%	25%	24%	8%	12%
個人	19%	37%	11%	9%	11%
外国	31%	15%	48%	28%	42%
政府	0%	1%	3%	2%	6%
合計	100%	100%	100%	100%	100%

会社で働く自分たち自身への思い込み

私が以前勤めていた大企業では、課長職になるまで、同期の間で給料はほぼ1円も差がつかなかった。それが、私には不満だった。

会社の説明では、給料を安定的に払うことが従業員の安心につながるらしかった。たとえばあるとき月給が100万円、違う月は10万円だったらとても暮らしていけない。また、間接部門のように結果に差がつきにくい仕事もあるから不公平だ。さらには、A君は拡大する市場を相手にしているが、B君は衰退産業を相手にしており、しかし、双方とも重要な事業だ、と。ならば、と私は会社を飛び出した。自分のサービスが社会に求められるのであればおのずと売れた分だけ収入があがる。逆もまた然り。シンプルで気持ちが良い。

いま、私はコンサルタントとして企業にお邪魔する。私はトップとのみ会話するタイプではないため、一般社員の方々と対話を重ねる。面倒なことも多い。トップから指示された新たなプロジェクトをコンサルタントとはじめることに拒否感を顕《あらわ》にするひともいる。

こういうとき、魔法の杖はない。じっくりと会話をしながら、本音や問題をあぶりだすしかない。私も仕事だから嫌々でも遂行してもらう必要がある。そして、面倒なことを重ねているうちに、やっと本音を引き出せる。たとえば飲み会の席などで「いや、正直にいえば、新しいことをやっても給料があがらないから馬鹿らしいんですよね」といった声だ。

「新しいことをやっても給料があがらない」というなら、「給料があがればやる」という可能性が高い。「え、じゃあ、月にいくらあがったらやるんですか」「数万円とかでしょうか」「数万円さえあがったらやるわけですか」といった会話の経験が多々あるため、私は日本人が実は実力主義的なのではないかと疑いをもっている。

面白い資料がある。図23は日本と諸外国とで「自分自身に満足しているか」を調査したもの

図23●「自分自身に満足している」比率

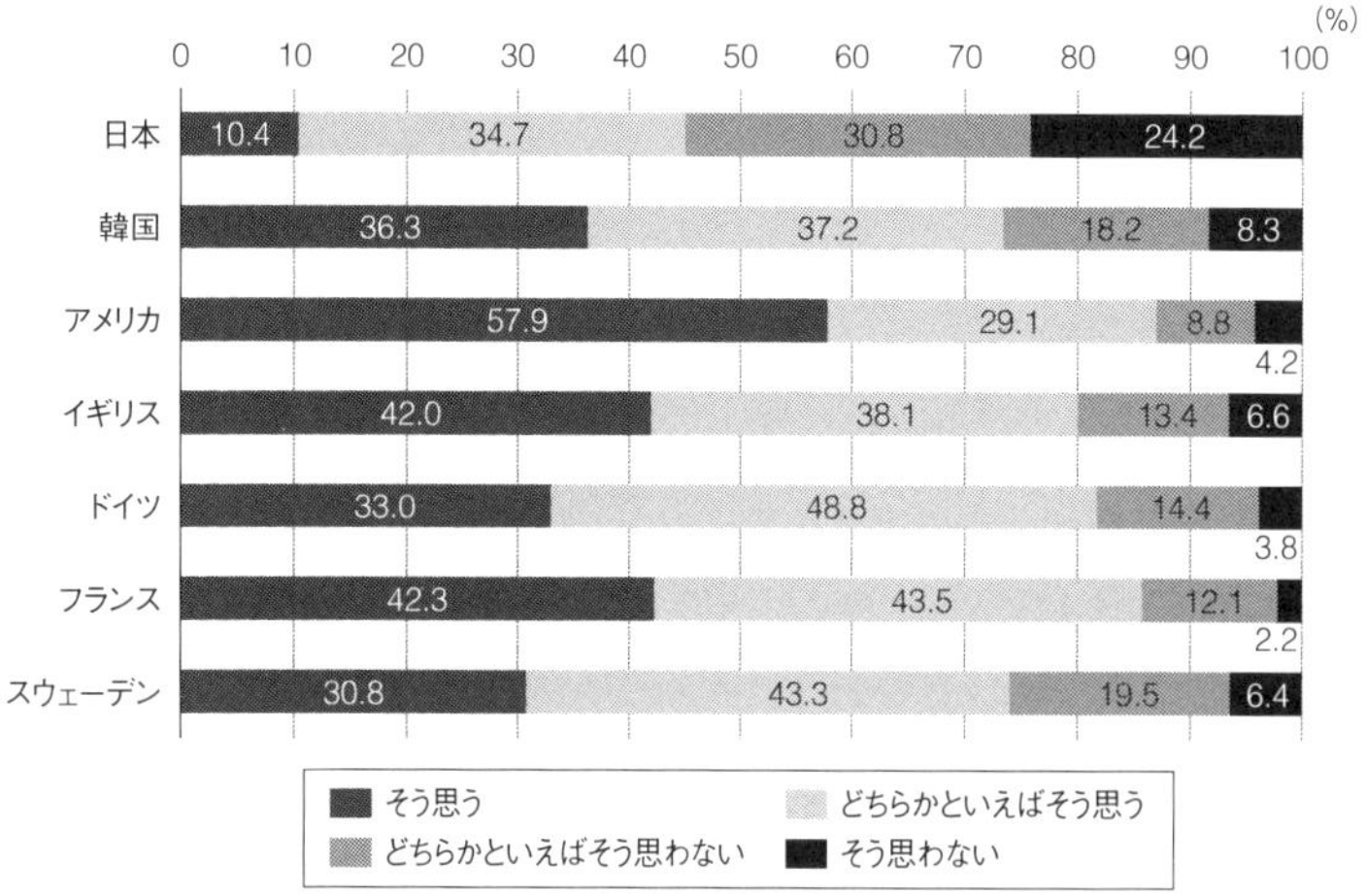

だ。そこから、日本人の若者の自己肯定感の低さが指摘される。しかし、私などは、若いくせに自分自身に満足するなど、馬鹿ではないかと思ってしまう。日本人の若者のほうがまともではないか。

さらに興味深いのは、図24の「自分は役に立たないと強く感じる」かと質問したものだ。日本は「そう思う」「どちらかといえばそう思う」の二つを足した割合が、アメリカやイギリス以下になっている。これを見ても、たんに欧米がポジティブシンキングだとはいえない。

さらに職業選択において「収入」重視と答えたのは日本が調査国のなかでもっとも多い（図25）。

また、日本人は欧米よりも自己責任を徹底する。よく使用されるのが、団体ＣＡＦが提示し

図24●自分は役に立たないと強く感じる

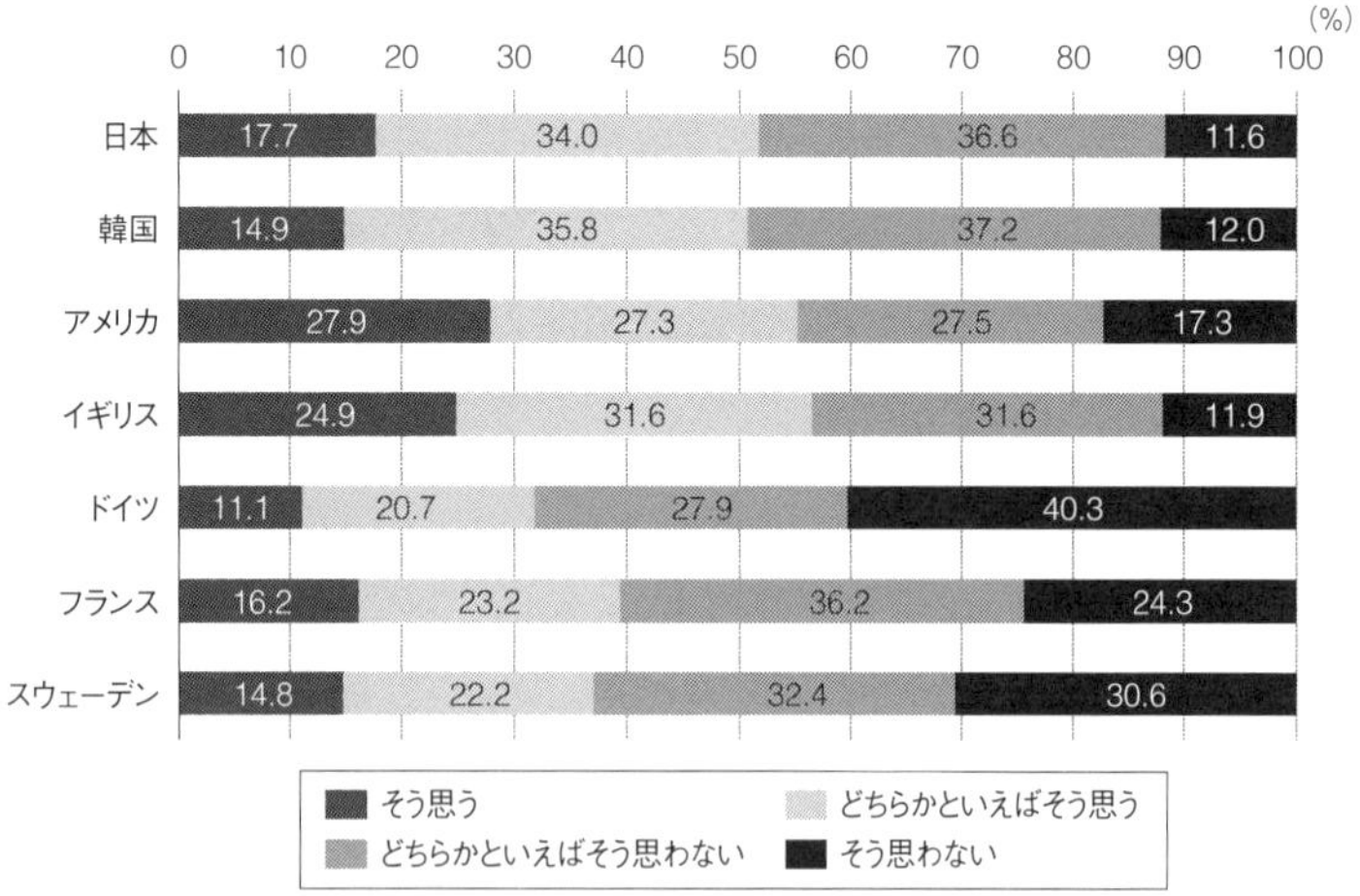

ているWorld Giving Indexだ。これは社会的支援指数ともいうべき、他者への支援を定量化したものだ。この２０１８年版を見ると、「見知らぬ人を助けるランキング」で世界各国のうち、１４４カ国のうち１４２位となっている。

なお、この手の調査を、そのまま受け取ってはいけない。定量的な数字と異なり、言語の違いによる調査のニュアンスにも大きく左右される。しかし、私の個人的な経験からも、これらのデータを覆す実感にはいたっていない。

たとえば私の妻が妊娠中に電車に乗ると、多くの男性たちは席を譲ってくれない。あるとき、席が空いたからと近寄ると、50代くらいの男性が妻をはねのけて座った。それも数度ある。マタニティマークをつけている女性が前に立っても、なかなか譲らない。

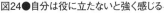

図25●職業選択の重視点

(%)

	日本	韓国	アメリカ	イギリス	ドイツ	フランス	スウェーデン	平成25年度調査
収入	70.7	61.9	70.0	62.7	68.5	63.2	62.4	66.6
労働時間	60.3	54.9	63.4	64.2	61.4	44.3	58.2	51.7
通勤の便	38.7	36.2	41.4	43.8	53.3	31.3	42.5	37.1
仕事内容	63.1	46.5	55.1	53.1	44.2	59.4	58.9	62.6
職場の雰囲気	51.1	54.7	40.8	36.3	55.2	36.1	46.6	48.9
仕事の社会的意義	11.6	13.7	19.8	15.5	16.1	11.7	17.5	11.8
事業や雇用の安定性	25.8	27.3	31.6	25.5	35.1	23.0	26.4	24.5
将来性	26.8	34.5	38.6	36.7	43.0	25.5	36.6	28.3
専門的な知識や技能を生かせること	19.0	22.8	26.7	19.3	26.8	21.1	20.7	20.8
能力を高める機会があること	17.3	23.7	29.1	28.9	33.0	25.1	27.3	19.9
自分を生かすこと	25.4	25.2	31.3	26.4	20.4	19.0	23.6	35.3
自分の好きなことや趣味を生かせること	27.2	36.8	33.2	25.3	41.8	26.5	43.4	31.2
その他	1.9	2.3	1.2	0.5	1.7	0.3	0.5	1.2
わからない	6.7	4.7	4.7	6.1	2.8	4.2	4.5	5.7

私は家族とマレーシアに住んだことがあるが、そのとき、幼い子どもに、いたるところで住民が優しくしてくれたことが印象的だ。そのいっぽうで、日本では子どもが泣くたびに、チッと聞こえるように舌打ちされたり、露骨に嫌な顔をされたりした。

もっともマレーシアの犯罪発生率と日本のそれでははるかに日本が安全とわかっている。強盗発生率もそうだ。それでもなお、中根千枝さん『タテ社会の人間関係』、土居健郎さん『「甘え」の構造』、あるいはルース・ベネディクトの『菊と刀』などなんでもいいのだが、日本人の、ムラの関係者には優しく、外部の人間には冷たい性質を私はいまだに感じてしまう。

日本人は他人に迷惑をかけないように教育が徹底しているため、犯罪等は少ない。しかし、自己責任感が強い分、他人に迷惑をかける人には冷たい。妊婦や赤ん坊にたいしても、積極的に助けようとはならない。**欧米でいわれるのとは違う意味で、自己主義、自己責任主義**なのだ。

日本人は自社嫌い

さらにギャラップ社の調査によると、日本はもっとも自社に愛着を感じていない（図26）。米国のほうがはるかに愛着をもっている。日本は中国人と同じレベルにある。まさかと思ったが、同様の国際比較を見ても、やはり日本人の愛社精神は低いとしか判断ができない。

植木等さんは高度経済成長期にモーレツサラリーマンの裏返しとして無責任男を演じた。あれは、無責任になれないからこそ成立した笑いだった。サラリーパーソンたちは愛社精神の重要性を論じた。しかし、考えるに、その重要性を誰もが理解し、そして骨身にしみているのであれば、あえて強調する必要はない。皮肉なことに、**日本には愛社精神が希薄だったからこそ、それを強調する必要があった。**伝統というものが必要性を失うとともに、逆説的に伝統の重要性を語らねばならない伝道師が増えてきたように。

これが私の指摘したい4点目だ。日本人はいわゆる外資系企業で働くひとたちのほうが、「自己責任」「実力主義」「勤務企業に対してもドライ」「金のために働いている」と考えている。しかし、実際には、日本人は自分自身に満足していないが、それは上昇意識があるからで、自分が役に立たないとは思っていない。**日本人は想像以上に実力主義的な志向をもっている。自己責任を強く感じている。帰属している会社への愛情は相当に低く、働く理由は収入のためである。**

図26●各国の自社への感情

	愛社精神がある	ない	まったくない
世界	15%	67%	18%
日本	6%	70%	24%
中国	6%	75%	19%
韓国	7%	67%	26%
シンガポール	23%	69%	8%
タイ	23%	73%	4%
インドネシア	15%	75%	10%
マレーシア	17%	70%	13%
米国	32%	51%	17%

企業統治の欧米化が進み、雇用の流動化、外国人株主比率増加、実力主義の徹底……それらはもっと進むだろう。そのとき、愛社よりも収入を希求してきた日本こそが、**教科書どおりの株式会社を実践できる国になるのではないかと、ひそかに予想している。**それが喜劇なのか悲劇なのかはわからないけれども。

従業員の給料が決まるまで

突然だが、かつてマルクスという思想家がいた。曲解すると、マルクスは、私たちは牛丼なんだという説を語った。マルクスは、すべては結局のところ、なんでも取引なんだ、と考えた。一人の労働者にしてみれば、生きていく以上は、自分という商品を売り物にして、それを誰かに買ってもらうしかない。その買い手のことをマルクスは資本家といった。正確ではないが、資本家とは株主とか会社とかと思っておけばいい。

じゃあ、その資本家は、どうやって、労働者に払う対価を決めるのだろうか。

そこで出てくるのが、私たち＝牛丼の考え方だ。牛丼は、牛肉とご飯、玉ねぎ、タレなどのコストを積み上げていって、あとはお箸とか、店内の光熱費とかを計算して、３８０円で売ろうかなとか、やっぱり３７０円かな、といった価格が決まる。労働者たちが牛丼とすれば、牛丼の原材料にあたるのは、生活費だ。つまり、私たちが人間として生活できるコストを積み上げて給料が決まっている、というのだ。

私たちは生活するために、衣食住が必要だ。そして、通信費などもかかる。それらを加算していって、世間一般ではこれくらいあればいいという相場が決まる。いまでは各都道府県の最低生活費も、ネットで調べればすぐに出てくる。

牛肉がキロあたり1000円のタイミングもあるかもしれないし、900円のタイミングもある。でも、いちいち価格を変えていられない。「牛肉のコストはだいたいキロあたり950円で考えたら、問題ないでしょ」と設定される。

労働者一人ひとりも同じだ。私は浪費家だとか、スポーツカーを買いたいといっても、個々の事情は考慮されない。生活費の平均値を上回る部分は、諦める必要がある。しかし、社員が優秀で、ものすごい成績を残すかもしれない。それでも、その成果の大半は、雇用している側の取り分だ。同期とくらべて、すこし給料の差がつくかもしれない。ただ牛丼である私たちは、資本主義の構造上、資本家以上にはなれない。

牛丼が薄利なのは、広く知られている。私は『牛丼一杯の儲けは9円』という本まで書いた。「だって牛丼でしょ。安くて当然でしょ。コストも安いでしょ」と消費者が思っているので、1000円は払わない。牛丼が薄利で、牛丼が私たちだとすれば、私たちの労働結果である給与をもらっても、まったく預貯金がたまらないのは当然といえるかもしれない。

私は新入社員のころ、お金があまりに毎月ギリギリなので「給料というのは凄いな。ちょうど、生活できるギリギリに設定されている」と感心した。

なお、このマルクスの考えを「労働価値説」と呼ぶ。現代の経済学者からは否定されている。

私も全面的に賛成していない。単純化したモデルだし、前の章で取り上げたとおり業界によって給与がばらつくことは知られている。しかし、「給料が上がらない、上がらない」といわれる日本ではマルクスのこの説が当てはまっているのではないだろうか。

本章で描いたとおり、日本の従業員は自分が正当に評価されていないと感じているし、収入を目当てに働いている。いまの会社にも愛情を抱いていない。しかし、**構造上、会社に勤めたままでは不満を解消できないかもしれない。そうすると、第二（起業）の道も検討するべきだ。やるかどうかは別として選択肢を増やすのは価値がある。**

現状以外の道を考えることで、自分の能力について客観的になれる。いま以上のスキルや能力が必要かもしれない。自分の市場価値にくらべて、所属会社からはやはり不当な評価しか得られていないのであれば飛び出すのも選択肢だし、逆に現状に満足しなければならないかもしれない。

▼日本企業はドライであることを自覚して、つねに第二の道を検討しておこう。

6 「起業しても9割の企業が10年で廃業する」は本当か？

▼日本の中小企業はしぶとく生きているが、黒字でも潰れ、グローバル化は絶望的

思い込み

- 起業10年で生き残る企業はほとんどない
- 企業は黒字なら潰れない
- 中小企業もそれなりにグローバル化が進んでいる

実際は

- 起業10年でも36％の企業は、生き残っている
- 倒産した企業の半分は黒字
- 多くの中小零細企業は海外進出できていない

「起業してもムダ」は本当か

個人的な話をお許しいただきたい。

会社員のかたわら、起業のプランを練っていた私は、不安から周囲のひとに相談した。すると、戻ってくる答えは「やめたほうがいいよ」というものだった。「起業しても10年存続するのは10％未満」だとありがたいアドバイスをいただいた。相談するのは悪くない。なぜならば、やめろといわれて、本当にやめてしまうひとは起業に向かないからだ。

しかし、そのような皮肉を避けたとしても、すぐさま潰れるのであれば起業を断念するひともいるかもしれない。起業をやめてもいい。ただ重要なのは、まず事実を見ることだ。

起業10年でも３分の１以上は生き残る

日本はよく、起業しにくい国だといわれる。そして、せっかく起業しても、生き残るのが難しい国だともいわれる。

ＳＮＳなどを眺めれば、起業を勧めるセミナーや教材であふれている。その宣伝文章に「せっかく起業しても10年後に生き残るのはたった数%です。だから正しい起業法を学びましょう」などと書いてある。また、現在の私には起業家の知人が多いためか、「今年でついに会社設立10年目を迎えます。これで1割に残りました」といった書き込みを見かける。

しかし、もちろん、倒産する企業はあるといえども、10年で9割が消えるとは、なんとなく実感にあわなかった。それなりに努力しているひとたちは、会社組織をつくったあと、かなりの割合で食えている。そんなに会社は倒産するだろうか。

あるとき、私の尊敬する経営コンサルタントの岡本吏郎さんの話を聞いていたら、「なかなか中小企業は潰れないね。しぶとく残る。20年、30年は残るよ」とのことだった。私はこの発言にこそリアリティを感じた。どちらが正しいのだろうか。

結論からいえば、10年で9割が潰れるとはいいすぎだ。

中小企業白書は、たまにこの話題を扱う。もっとも面白いのは、2006年版だ。そこでは創業後1年経った時点での生存率、2年経った時点での生存率……と平均値が書かれている。もちろん、個人事業所や会社では率が異なる。さらに時代背景にもよる。ただし、中小企業白書に記載されている、会社の生存率値を使って計算してみると、**10年経った時点での会社の生存率はなんと36%にもなった。**

さまざまなひとが起業しているはずで、そこには玉石混淆、有象無象、海千山千が入り交じる。勉強熱心ではないひともたくさんいるはずだ。そのなかで、10年が経っても、３分の１以上の確率で生き延びているとしたら、これは希望の数字ではないだろうか。少なくとも私にとってはそうだ。

やり方次第では無限の可能性

また、高利益を少人数で実現できる可能性も希望だ。もし小規模のままで高い利益が実現できるのであれば、むしろ零細でいることが有利になるだろう。しかし、これまで、たとえば製造業ではある程度の規模が重要とされた。その文脈では、よく中小企業は製造行為で付加価値をつけるといわれる。それがもっとも競争力の源泉となるから、と。そうなると工場をもたねばならない。

私はこの言説を否定するわけではない。しかし実態は、外部に任せたほうが、一人あたりの付加価値は上昇している（図27）。

ものづくり白書でも類似のデータがあり、ＥＭＳ（製造受託企業）を活用したほうが利益率はあがるとしている。もっとも単純な話ではない。企業のコアとなるところを外部に依存して

図27●中小企業における外部委託の実施有無別に見た、一人あたりの付加価値額―

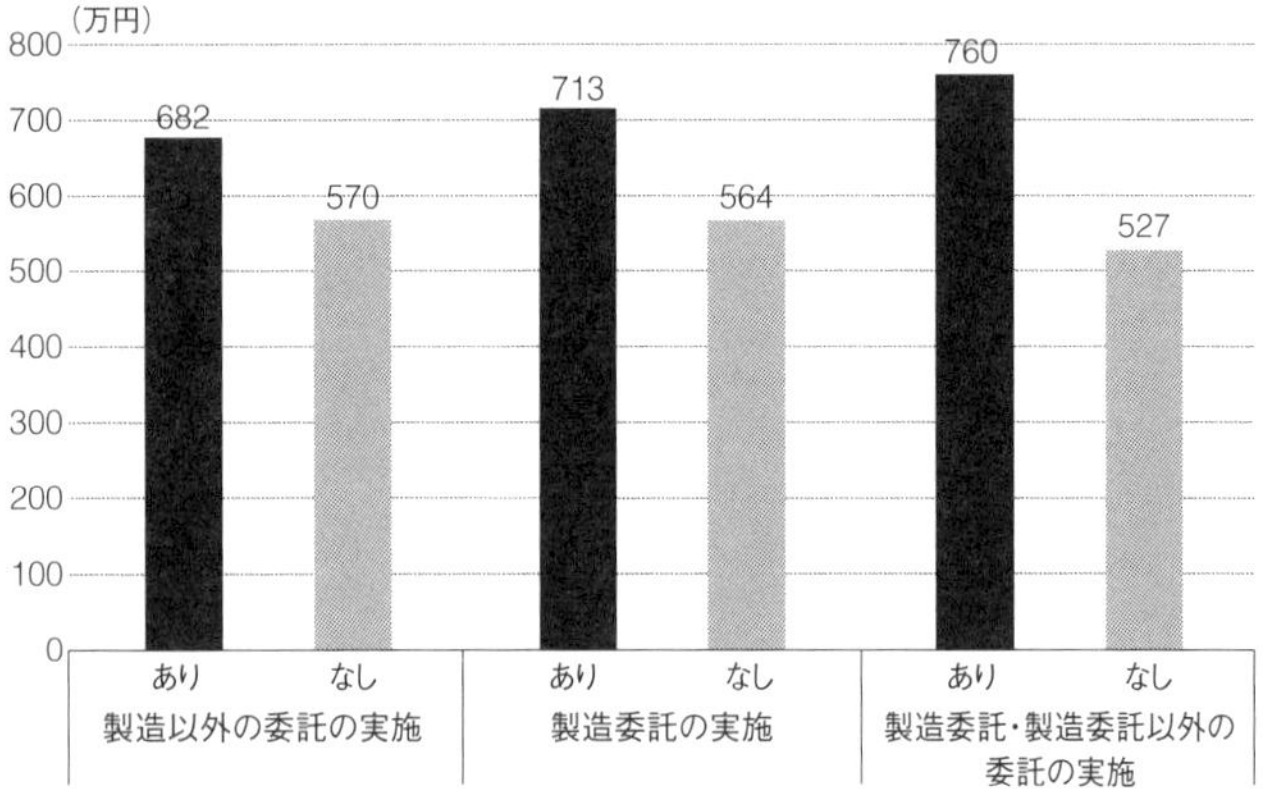

はいけない。ただ、価値の源泉でなければ手放したほうが効率的になるだろう。これは、全体の事実としてはその傾向があるという事実にすぎない。

指標が示す日本の競争度

また、一般的には、米国は自由競争が進んでいて、日本は閉鎖的な社会で自由競争が進んでいないイメージがある。これは本当だろうか。日本は戦後に財閥解体や、外圧からの幾度もの脅威にさらされてきた。

そこで、よくハーフィンダール・ハーシュマン・インデックスが使われる。これは、市場における各企業のシェアを自乗し合計したものだ。たとえば、市場を100％独占した企業のみしかい

図28●各国の企業寡占度

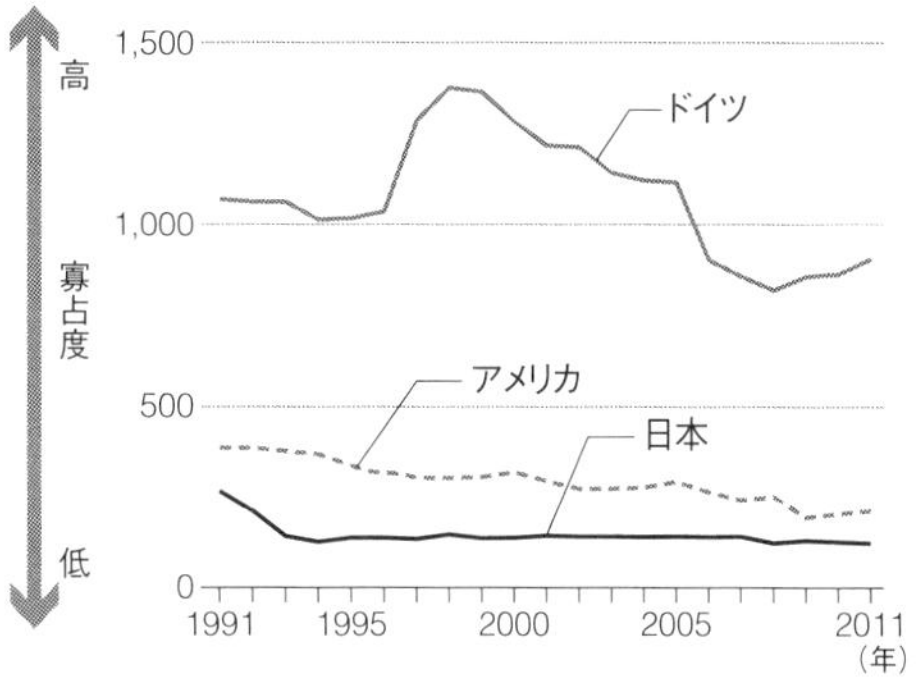

ないとする。その場合は、100の自乗で10000となる。

一方で、50％のシェアをもつ企業2社が存在するとする。すると50の自乗＋50の自乗で5000となる。

これ以降は省略するものの、数が大きいほうが独占や寡占が進んでおり、数が少ないほど複数の企業が競争状態にあると思ってよい。そこで図28の国際比較を見てみると、日本はきわめて数が少ない＝競争状態にある国だとわかる。

私は中小企業のみが優位性をもつといいたいわけではない。ただ、想像よりも、日本は自由競争が進んでおり、中小企業の参入が比較的に易しいのが事実だということだ。

図29●倒産件数の推移

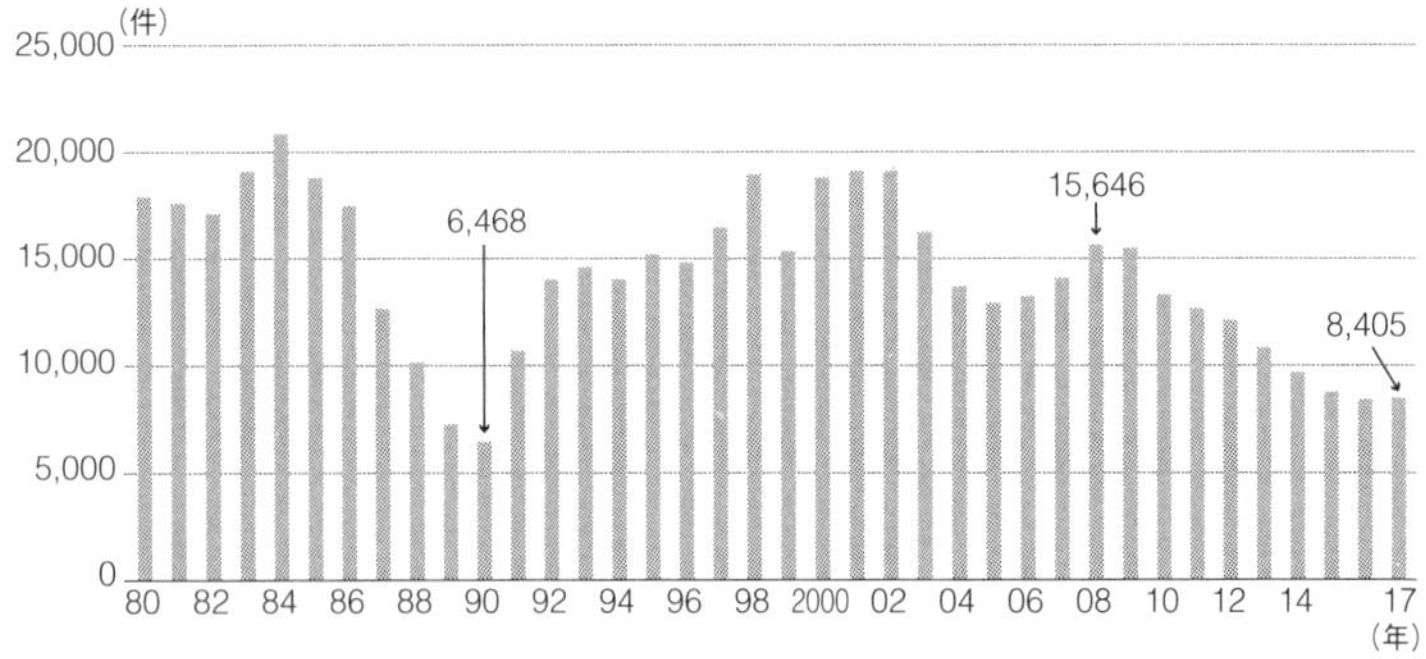

現場の強烈な悲鳴がゆえに

しかし、中小企業が潰れないといっているわけではない。

ここ20年、企業の倒産件数が減少している（図29）。20年前は年間2万社ほど倒産していた。ここ数年では年間8000社強になっている。ただ、新型コロナウィルスが引き起こした不況により、今後はこれ以上の倒産が予想される。

私は調達・購買業務関連のコンサルティングを主としている。調達・購買業務とは、簡単にいえば取引先から製品やサービス、役務を買ってくる仕事だ。そこで、当部門は、取引先の決算書などを通じて経営状態を監視する。

かつて牧歌的な時代では、決算書を複雑に読み解くの

図30●倒産・生存企業　財務データ比較　最新期当期利益「黒字・赤字」構成比――

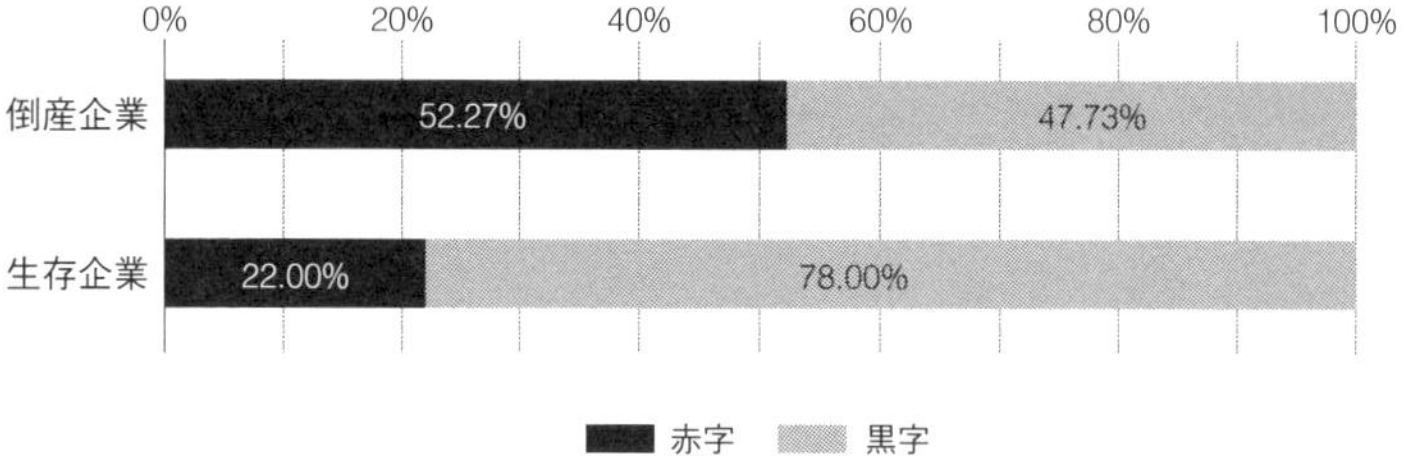

ではなく、たんに儲かっているか儲かっていないかを見ろ、といわれた。赤字が続けば、存続が危なくなる。これは直感的にも理解できる。

しかし、関係者に衝撃を与えたのが、東京商工リサーチのレポートだった。同社が**倒産企業を分析すると、実に赤字企業は半分しかなかった。残りの半分は、最新期が黒字での倒産だった**（図30）。

黒字は、あくまで最新期である。突然、資金繰りが苦しくなることもあるし、客先から回収できないケースもある。また、労務費などの高騰がありうる。倒産は、結局、キャッシュの不足による。

ただ、同時に、より大きな衝撃を与えたのは、休廃業や解散件数の増加だった（図31・32）。

倒産は8000件強にすぎない。しかし、4万6724社という5倍以上もの数が、私たちの前から消えている。これは中小企業白書も、重要な問題として提起している。つまり、**後継ぎがい**

図31●休廃業・解散、倒産件数 年次推移

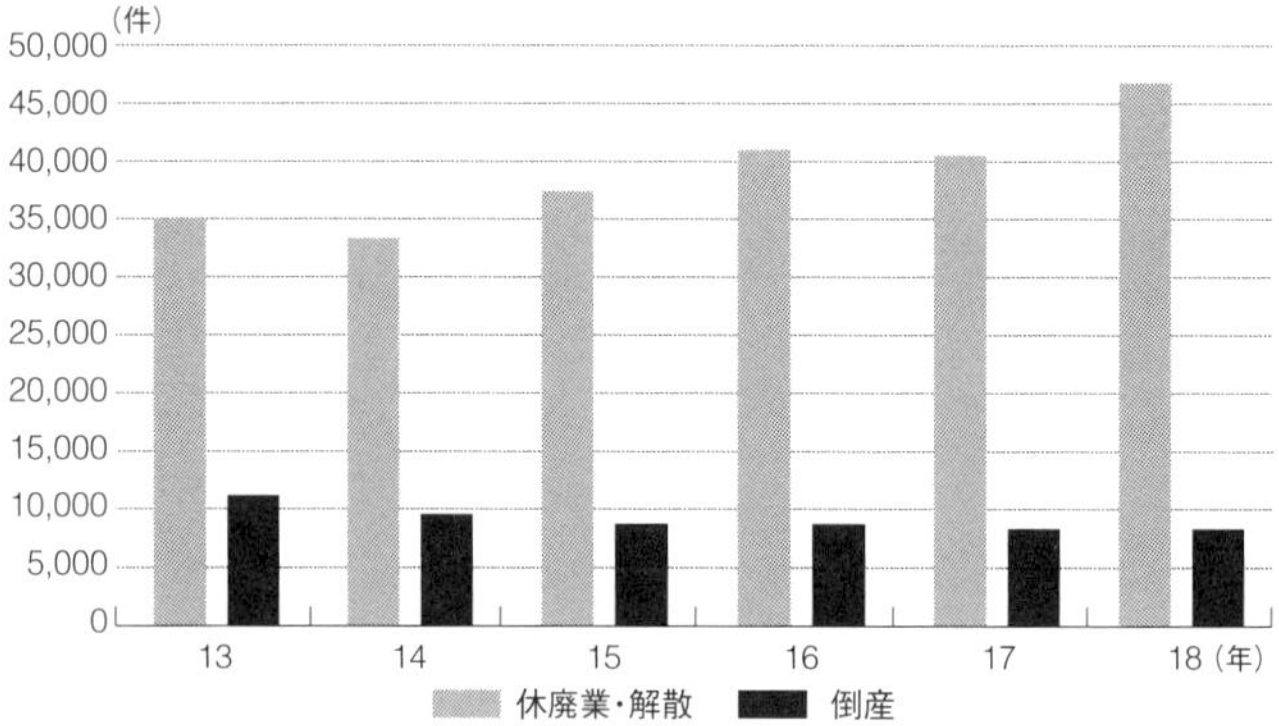

図32●休廃業・解散、倒産件数 年次推移(単位:件)

年	休廃業・解散	前年比	倒産	前年比
2013	34,800	13.68%	10,855	▲10.47%
2014	33,475	▲3.81%	9,731	▲10.35%
2015	37,548	12.17%	8,812	▲9.44%
2016	41,162	9.63%	8,446	▲4.15%
2017	40,909	▲0.61%	8,405	▲0.49%
2018	46,724	14.21%	8,235	▲2.02%

ない。さらに譲渡する先もない。

1995年に経営者の年齢でもっとも多かったのが47歳だった。それが、2015年には66歳に進んでいる。つまり、この20年間そのままスライドしてきたといっていい。経営者が若手の場合は、後継者が決まっていないのは当然といえる。ただし、経営者が60歳以上の、一般企業であれば定年を迎えてもおかしくない状況でも、後継者の不在率は約50%にのぼる。

末端の会社員として働いていたとき、経営者の影響など感じたことがなかった。私は私。トップがどうで

あれ、やるべきことをやる。しかし、**マクロな観点からすれば、企業は経営者の思想や態度を色濃く反映する。**たとえば**経営者の年齢が高いほど、取引先が固定し、新たな取引関係は生まれにくい**と実証されている。また逆も真で、**経営者が若ければ新たな取引関係が成長につながる。**

ワンマン経営は、中小企業においては決断スピードの点で正解だ。しかし、加齢とともに意思決定パターンが硬直化していく。気づけば企業そのものも硬直化していく。新たな取引先を探さずに、既存客とやりとりするだけ、という現場をよく聞く。もちろん海外販路も一手だが、同時に国内でも基盤をつくりたい。このような声はもっともで、地道に営業したり情報発信したりするしかない。途方もない努力が必要だ。それをやる気力がないのだとしたら、やはり企業は経営者を映すといわざるを得ない。

グローバル化が叫ばれながら海外進出実績は５％

さらに、想像以上に手付かずなのがグローバル化だ。

昨今、グローバル化が叫ばれている。昨今、と書いたが、私がこの20年を振り返っても、あるいは学生時代を思い出しても、それが叫ばれなかった時期はないといっていい。少なくとも日本は少子高齢化がやってくるといわれたし、現実にそうなってきた。

単純化すれば、１億２０００万人いた人口が、１億人に減れば、売上１億２０００万円が１億円に減る。そう単純ではないものの、経営者であれば、販路を世界に広げるためになんらかの措置をとるはずだ。

実態はどうだろうか。図33の商工中金が２０１８年に実施した「中小企業の海外進出に対する意識調査」によると、**年商５億円以下の企業にとっては、海外進出実績ありは、実に５％程度**にすぎない。

図33●年商規模例

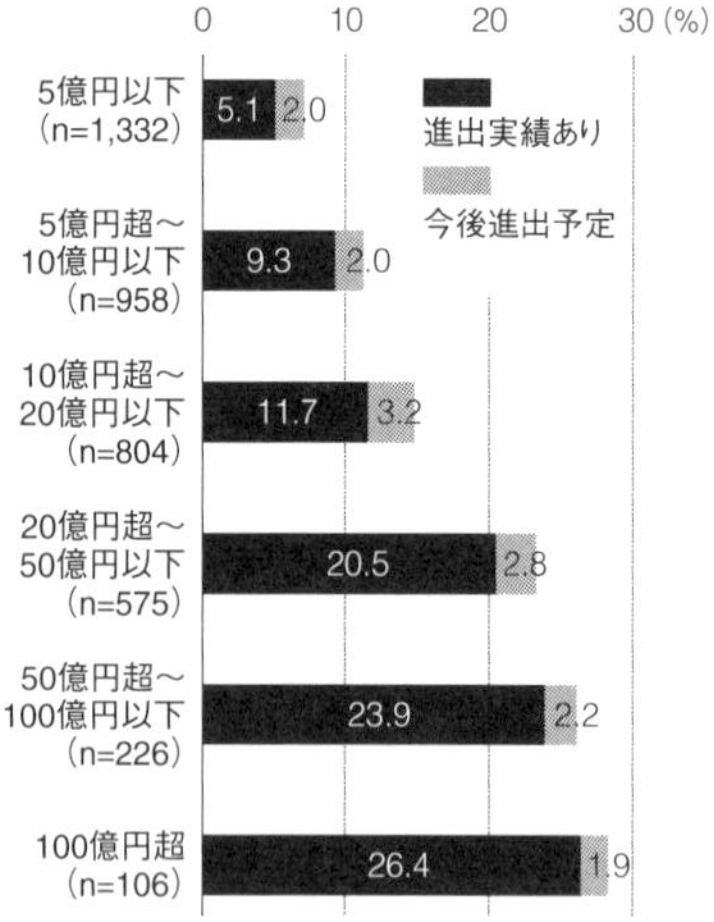

なお、この数字は現場にいる私からすると、それでも多すぎる。経済産業省の「海外事業活動基本調査」の「調査概要」を見てみれば、この調査は、金融・保険業、不動産業を除き、海外に現地法人を有する我が国企業へ全数調査をしているにもかかわらず、回答した企業がきわめて少ない。

零細といわれる、製造業で資本金３億円以下の企業は、いわゆる中小企業と定義される。

図34●中小企業の輸出額・売上高輸出比率の推移

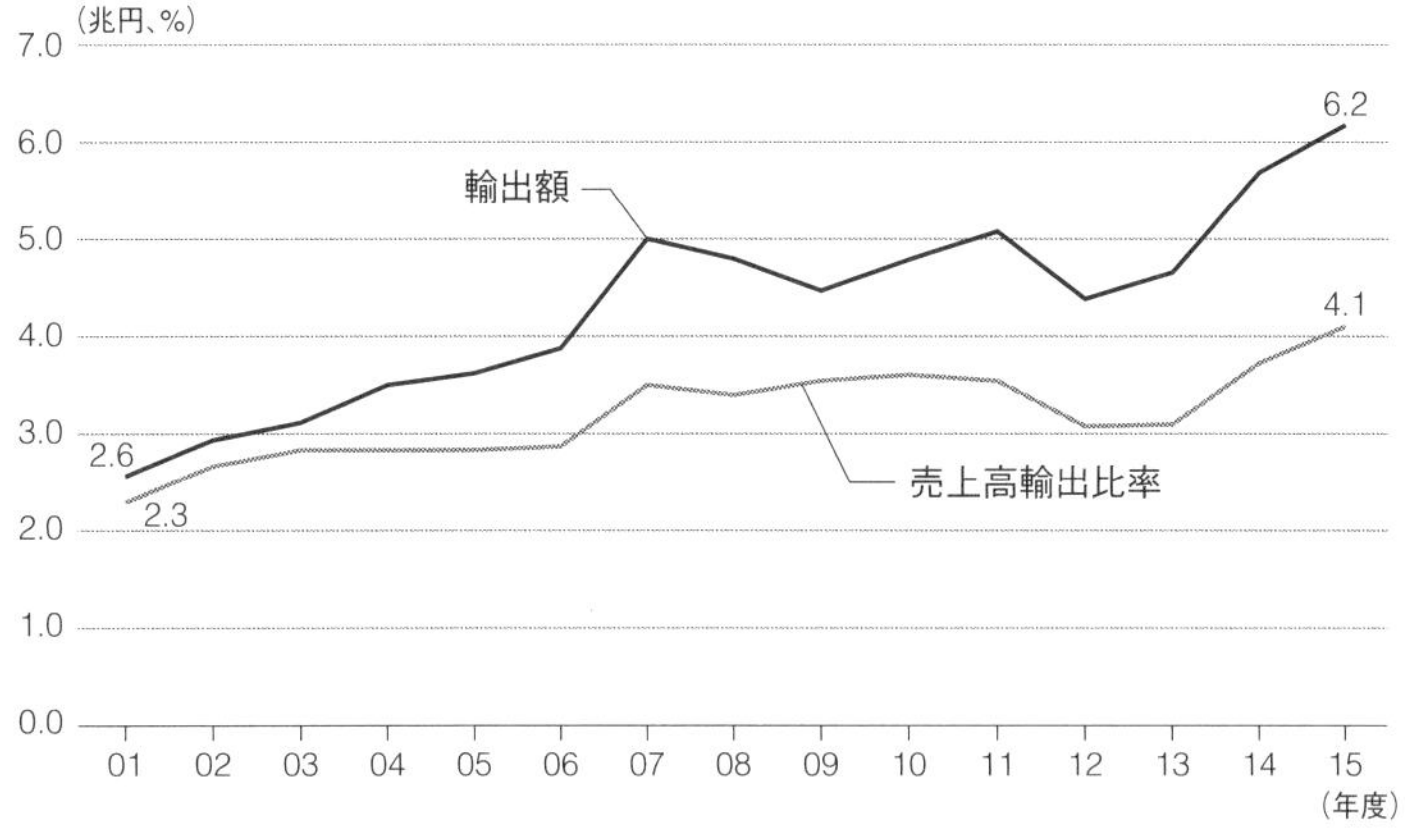

すなわち、町工場などは、ほぼここに属する。回答した企業は２４５８社のみだ。この中小企業の製造業は、会社数で27万社ある。割り算をすると、０・９％となる。これが実感に近い。

もっとも、海外に進出しなくても、輸出という手がある。自ら販路を探さなくても、現地のパートナーや商社経由でタッグを組むこともありうる。しかし、実態は**輸出を行っている企業は全体の21％にすぎず、さらに、輸出額が売上高に占める比率も４％程度にすぎない**（図34）。

「解決したい」気持ちより予算が先の考え方

さらに中小企業の問題点を指摘しておきたい。

私は、いくつかの大手企業で業務効率化のコン

図35● ITツールの利用状況

	A	B	C	D	E	F
	調達、生産、販売、会計などの基幹業務統合ソフト（ERP等）	電子文書（注文・請求書）での商取引や受発注情報管理（EDI等）	グループウェア（スケジュール・業務情報共有やコミュニケーション）	給与・経理業務のパッケージソフト	一般オフィスシステム（ワード、エクセル等）	電子メール
全体	21.5	18.5	12.2	40.3	55.9	54.1
〈規模別〉						
1. 第1四分位数未満（最小規模企業群）	11.4	11.4	7.3	20.4	36.3	37.8
2. 第1四分位数以上中央値未満（小規模企業群）	16.7	16.9	7.9	29.9	48.8	49.2
3. 中央値以上第3四分位数未満（中規模企業群）	23.4	21.4	12.6	42.9	58.5	56.3
4. 第3四分位数以上（大規模企業群）	31.7	25.6	21.7	60.6	74.2	72.4

サルティングを実施した。そのときに、あらためて驚いたのは、社員の仕事が、ほぼメール処理を意味することだ。それに、会議、資料作成、電話、を加えればほぼ１００％が埋まる。ほとんどクリエイティブな時間はない。

また、ここで問題なのは、私が経験した職場、そして、コンサルティング先の職場で、大半がメール地獄に陥っていることだった。会議から戻るごとに大量のメール。無意味なＣＣ、無数の承認依頼……。

そこでちょっと質問したい。最小規模の企業群では、こういった電子メールを何％の企業が導入しているだろうか。実に、38％弱にすぎない（図35）。マイクロソフトのオフィスを入れているとなると、もっと少ない。これが現実だ。

このところ、ＡＩ、ＩｏＴ、ビッグデータ、

図36●ITツールの認知率と活用率

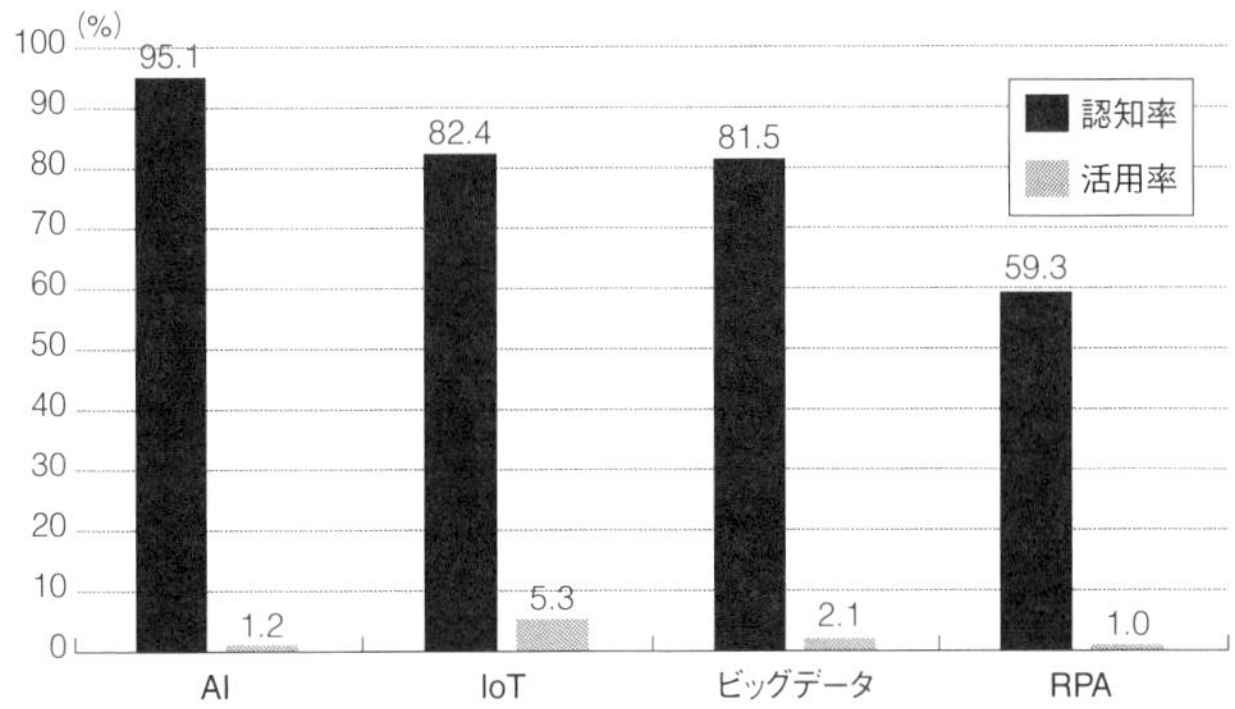

ＲＰＡなどといったテクノロジー系の単語をよく聞く。報道によっては、それらがなければ時代に取り残されてしまうらしい。

私もコンサルティングをしているため、すべて実践してみた。ＡＩやビッグデータについてはコンピュータ言語のＰｙｔｈｏｎを独学し、簡単なプログラムができ、データを機械学習できるようになった。ＩｏＴはセンサーの用途をいくつも取材した。ＲＰＡもソフトを導入して試行錯誤した。

そのうえで、現時点ではどこまでできて、どこまでできないのか理解したつもりだ。私は前述のとおり、サプライチェーンを専門とするコンサルタントだ。そこで、企業の該当部門から、面白い質問をいただくようになった。「ＡＩやＲＰＡで何ができるか教えてもらえませんか」といった質問だ。

本来は「解決したい問題があって、それにＡＩやＲ

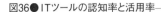

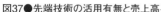

図37●先端技術の活用有無と売上高

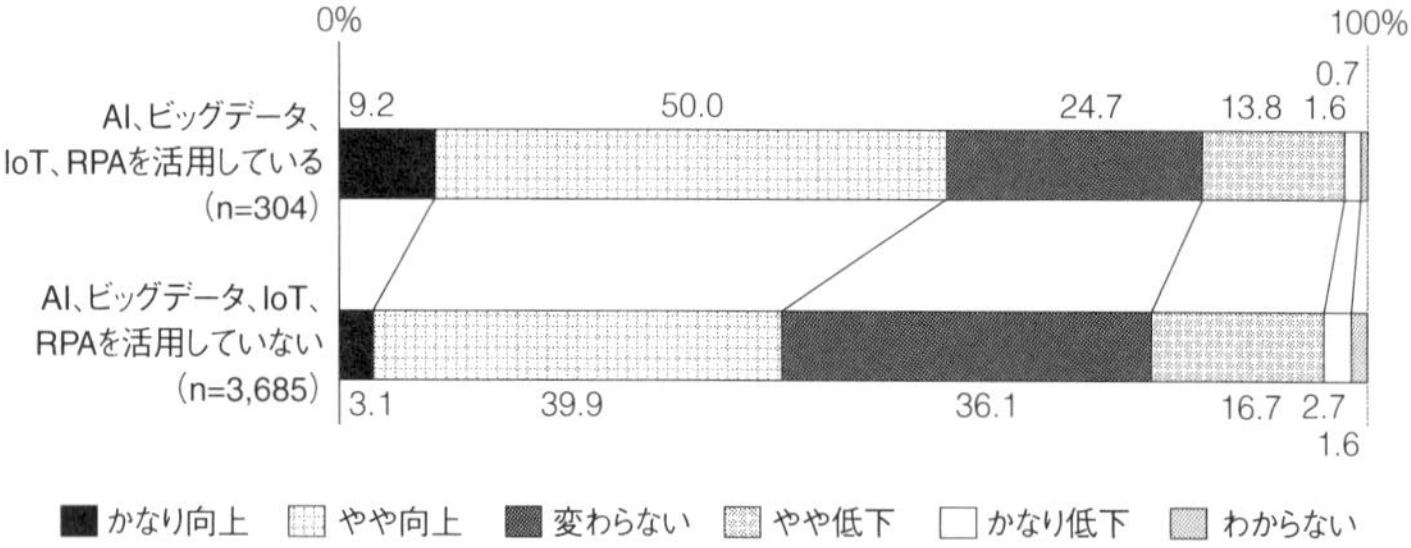

ＰＡが活用できないか」という形式であるべきだ。しかし、倒錯している。もっと正直に「予算がつきましたので、何かせねばなりません」と教えてくれたひともいた。

あくまでも２０１８年の段階だが、これらバズワードが流行している状況とは対照的に、それらは異常なほど活用率が低い（図36）。

おそらく笑うところではないだろうが、ＡＩやビッグデータの活用が労働生産性に結びつくのか訊かれ、「変わらない」と答えた25％弱はまだ良いとして、「やや低下」「かなり低下」と正直に答えた割合が15％にいたるのは瞠目に値する（図37）。何に使っていいかわからない。導入したものの、使いこなせない。ま、多少は向上したかも、という気分が表れた結果ではないだろうか。

もっともこういったグラフを見るときには注意が必要だ。そもそも因果関係を説明するのは難しい。不可能といってもいい。複雑系のなかで、一つの要因が会社の業績を説明できるはずはない。業績が向上しているからＡＩやビッグデータを活用する投資ができたのではないだろうか。労働生産性を向上しようと試行錯誤しているので、労働生産性があがったのではないだろうか。

もっとも単純な中小企業支援方法

ここから、単純かつ効果的な中小企業支援ビジネスが思い浮かぶ。事業承継、Ｍ＆Ａ斡旋ビジネス。そして、海外販売支援。さらには、ＡＩなどのインテリジェンスツール導入支援サービスだ。そして、当然のことながら、この領域には多くの業者が参入している。あらためて各データを見ると、それは必然とわかるだろう。

そこで、ここではちょっとひねった角度から新ビジネスの可能性を検討してみたい。たとえば事業承継、Ｍ＆Ａ斡旋だ。現在Ｍ＆Ａを専門で担当するコンサルタントは、買い手を探して、顔合わせをして、企業価値を計算して、さらに契約などを結んで、さらにアフターフォローまで行う。専門業者は儲かっているとはいえ、これでは、４万を超える休廃業・解散企業を救えない。

そこで**求められるのは、より簡易的に売り手と買い手を結ぶマッチングサービス**だ。実際に存在はする。しかし、私が**必要だと思うのは、多言語化と異業種へのアピール**だ。たとえば、ある日本の旅館があるとして、それを中国の企業が見たらさまざまな活用法を思いつくかもしれない。

通常のホテル業が旅館を買い取るだけではない。もしかすると、中国のＩＴ企業が自社の保養所として買収するかもしれない。あるいは、中国の小売企業が、その旅館を、日本のおもてなしを学ぶための研修所として買収するかもしれない。

そもそも買収とは、買い手と売り手とのシナジーを発生させるためのものだ。売り手企業は残念ながら、そのアイディアを出せない場合が多い。それならば、好き勝手な発想で、何ができるかを想像してもらったほうがいい。

日本には中小企業があふれているという話をした。**良くも悪くも、日本経済の活性化のカギは中小企業が握っている。その中小企業の事実を見れば、盛り上げる手段はいくらでもある。**

▼自分の半径5メートルより外の世界には、思いがけない問題が山積みしている。

7「中国の品質は悪い」は本当か?

▼品質は安定、価格も高い、と変わってきている

思い込み

- 中国食品の質は悪い
- 日本の食は安全だ
- なんだかんだで中国企業より日本企業の技術が勝っている

実際は

- 中国食品の質は世界基準で見ても、かなり良い
- 日本も海外も食品の違反率では変わらない
- 中国企業と日本企業の世界から見た評価レベルはかなり拮抗している

中国の影響は大きい、ただし、大きすぎはしない

私の両親や妻は、中国産の食品をできるだけ買わないようにしている。理由を聞いてみると「質が悪そうだから」。できるだけ日本や他国のものを選んでいる。しかし、あまりにイメージが先行していないだろうか。

ところで、そのイメージ先行は、中国食品の質だけではない。日本ではありとあらゆる「メイド・イン・チャイナ」があふれている。だから、ほぼすべての購入品が中国産のように思える。中国が日本を覆っているイメージだ。しかし、1万円の中国商品があるとして、日本の小売店の粗利益もその1万円に含まれている。普通なら、5000円か6000円はその小売店のものだ。さらに、その商品に使う部品類は日本からの輸出で補われているかもしれない。

中国からの輸入額を見てみよう。2018年の実績では、1735億3868万ドルだった。これに為替110円をかける。19兆円だ。もちろん、金額としては大きい。ただ、日本のGDPは518兆円として計算すれば、3・7％となる。もっともGDPと輸入額を比較しても学術的な意味はない。あくまでここでは大きさの感覚値だ。ただ、大幅に中国商品に浸潤されているイメージをもっていた方からすると意外ではないだろうか。

これは中国からの輸入品額などたいしたことがない、と主張したいわけではない。金額の多寡にかかわらず重要な輸入品がある。それがなければ生産がおぼつかないものも多々ある。比率が少ないからないがしろにしてよい国などあるはずはない。その比率を過剰に考えることの危険性を指摘したい。

実はまっとうな中国食品

中国産の食品は危ない、というイメージが流布している。メイド・イン・チャイナだと食品を買わないポリシーの人びともいる。そして国内産だけで固めることを、品質確保の根拠としている飲食店や小売店がある。

２０１４年にはマクドナルドで事件が起きた。7月に期限偽装食品問題が発覚した。日本マクドナルドへの納入品で、「上海福喜食品有限公司」が使用期限切れの鶏肉を混入させたことがわかった。日本国内で販売する「チキンマックナゲット」の約2割を担当していた。日本マクドナルドは同社への発注をやめた。

私はテレビの情報番組に出演しており、同工場の隠し撮り動画が公開されていた。地べたに落ちた鶏肉を加工機に投入する画像が流れた。マクドナルドが怠惰だったわけではない。監査のときにはしっかりとした生産体制だった。ただ監査が終わるとすぐに、以前の、乱雑な生産状態に戻っていた。これらの報道が相次ぎ、中国食品ブランドは失墜した。

これは氷山の一角なのか、あるいは、全体像を示すものなのか。

厚生労働省は「監視指導・統計情報」を出している。そのなかでも「輸入食品監視統計」は英語版でも発行を続けており、めずらしく対外的な主張を感じる。そこで、食品衛生法違反事例をあげている。これは、「販売等を禁止される食品及び添加物」「食品又は添加物の基準及び規格」の逸脱品をカウントしたものだ。さらに、「生産・製造国別の届出・検査・違反状況」が書かれている。

そこには「国（地域を含む）別の届出件数をみると、中華人民共和国の78万8273件（32・4％：総届出件数に対する割合）が最も多く、次いでアメリカ合衆国22万6444件（9・3％）、フランス共和国21万1511件（8・7％）、タイ王国16万8129件（6・9％）、大韓民国12万2337件（5・0％）、イタリア共和国12万1625件（5・0％）の順であった」とある。さらに続けて、「違反状況をみると、中華人民共和国の191件（23・3％：総違反件数に対する割合）が最も多く、次いでアメリカ合衆国の135件（16・4％）、ベトナム社会主義共和国65件（7・9％）、タイ王国59件（7・2％）、イタリア共和国38件（4・6％）、フランス共和国32件（3・9％）の順であった」ともある（図38）。

図38●総違反件数に対する割合

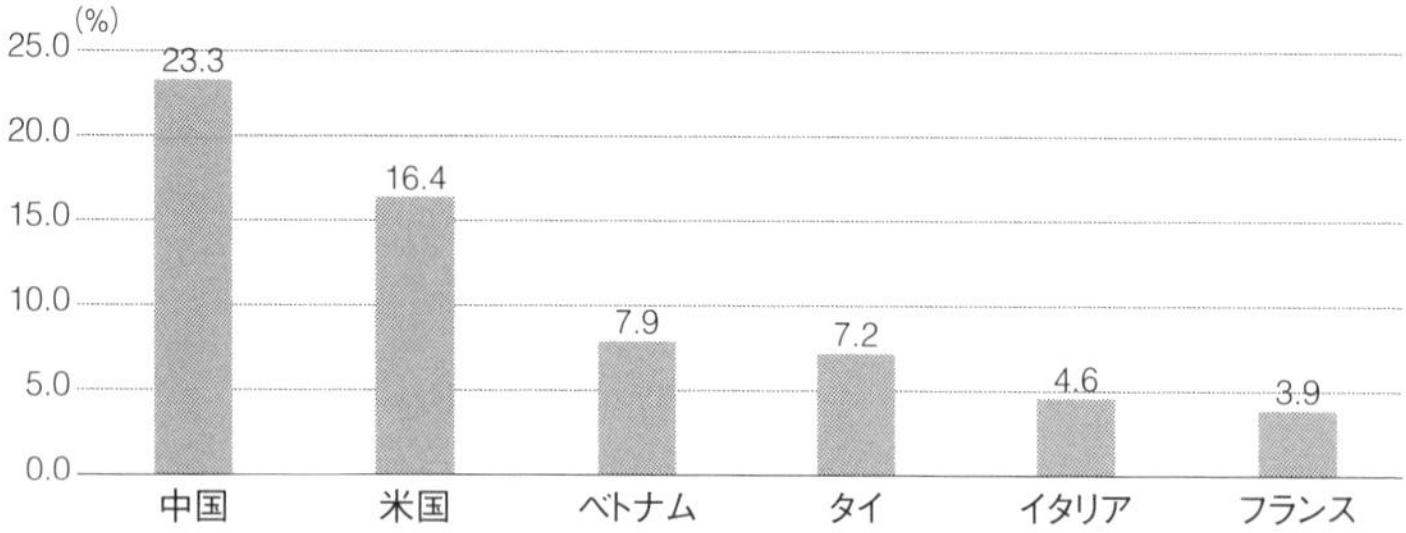

私は二つの文章を引用した。もしかすると、一つ目の引用文で、届出件数という言葉から、中国の違反事例が多いと誤読するひとは多いのではないだろうか。ただ、これはあくまで届出の件数にすぎない。

そして二つ目の文章。これは中国の違反件数が多いと述べているのは間違いない。しかし、注意深く読まなければ、「総違反件数に対する割合」を読み逃すはずだ。つまり、そもそも輸入件数が多い国であれば、同じ品質であったとしても上位にランクインするしかない。

そこで率を計算してみよう。

●中国：検査数量79万６２４３トン、違反数量１３４５トン
●米国：検査数量３７８万９９７７トン、違反数量７９７８トン
●ベトナム：検査数量９万４０５１トン、違反数量１６５トン
●タイ：検査数量30万１７８トン、違反数量１４６７トン

図39●検査数量に対する違反割合

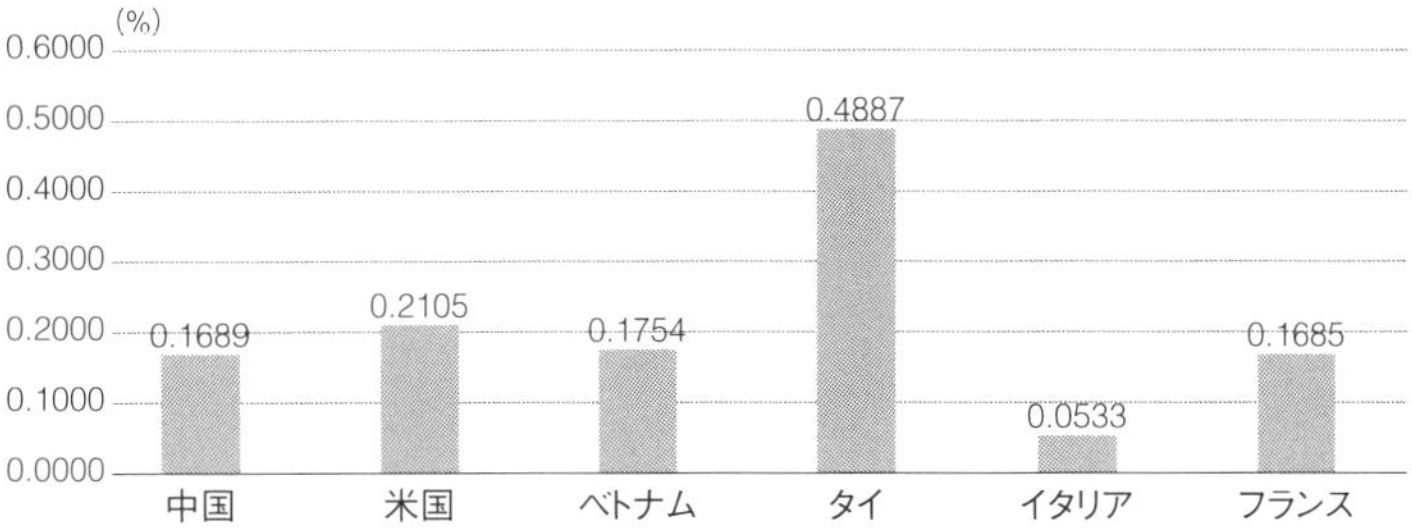

●イタリア：検査数量1万3125トン、違反数量7トン
●フランス：検査数量1万5430トン、違反数量26トン

私はここで、各国からの輸入食品の種類が違うにもかかわらず、あえて単純計算をしてみようと思う。そうすると、違反数量率は図39のとおりだ。

●中国：0・1689％
●米国：0・2105％
●ベトナム：0・1754％
●タイ：0・4887％
●イタリア：0・0533％
●フランス：0・1685％

となる。

これを見る限り、中国はまっとうな食品を日本に提供してくれている。意外にも米国とベトナムのほうが悪い。さらに、微笑みの国タイは親日として知られるが、私はタイの食品が危ないという話は残念ながら聞いたことがない。以前、中国からタイに食品製造を移管したニュースがあった。あのニュースを前に、みなさんはどう思っただろうか。

実は、私は単純に、こう考えている。企業の調達部門で働いていると考えてほしい。中国の食材があまりにも危険だったら、調達を続けるだろうか。もちろん安価・大量は魅力だろう。しかし、日本は質に厳しい。日本の消費者を満足させるために、質が悪かったら、きっとすぐさま他国に切り替えているに違いない。輸入を続けているなら、それなりの合理性があるに違いない。

なお、中国で生み出される食品すべてが安全だといいたくはない。私はかなりの頻度で中国に行く。正直にいえば、地方部で、ビールを頼んだ際にグラスの汚さに閉口したことがある。さらには、いまだに氷に口をつけられない。また、屋台で、衛生上、とても正しいと思えない管理状況を見た。

それでもなお、私が20年前に、初めて中国を訪れたときの状況よりも、はるかにマシになっていると感じる。なぜなら当時は、瓶ビールをまとめて買ったら入っている量がすべて異なり、さらに、露店で買ったパジャマを着たら翌朝にはすべてのボタンがとれていたのだから。

図40●東京都による食品違反調査結果

	国産品			輸入品		
	検査品目数	違反品目数	違反率	検査品目数	違反品目数	違反率
魚介類及びその加工品	5,792	3	0.05	710	−	−
冷凍食品	547	−	−	1,017	1	0.10
肉・卵類及びその加工品	7,762	4	0.05	5,032	−	−
乳・乳製品等	2,966	13	0.44	330	−	−
農産物等及びその加工品	7,491	1	0.01	9,719	5	0.05
菓子類	6,435	7	0.11	757	2	0.26
飲料・氷雪・水	2,356	1	0.04	559	3	0.54
その他の食品	11,974	2	0.02	1,077	2	0.19
添加物	11	−	−	3	−	−
器具及び容器包装、おもちゃ	273	−	−	66	−	−
合計	45,607	31	**0.07**	19,270	13	**0.07**

国内と海外の品質の違い

ただ、おなじく確認しておきたいのは、たとえ輸入食品であっても、日本国内で食されるものであれば、日本国内と同様の規制が適用される点だ。たとえば中国であれば、中国国内のものがそのまま入ってくるわけではない。

私は中国やインドで日本向けの加工食品を生産している工場を見学したが、日本向けは別ラインだった。別ラインにする絶対的な理由はないものの、そうしないと、日本向け基準をクリアできないからだ。

それでも海外からの食品を信頼できないと感じるひとは多いだろう。しかし、図40のようなデータはどうだろうか。数年前のデータであるものの、東京都の食品調査のデータだ。**国産品と輸入品で、さまざまな観点から品質について抜き打ち調査をしたところ、両者で、ほぼ違反率の違いは見られない。**

調査によっては、残留農薬等、日本のほうが悪い結果だったと述べるものもある。調査の品目によって差異はある。しかし、**単純に、海外＝悪、国内＝善、という構図は間違い**であるとわかる。

中国は世界の最先端に近い

ところで、私は企業の調達業務に関わっている。海外も含めてモノを調達する。そうすると、実感として、**明らかに中国への印象が変わっている。**たしかに**以前は、質は悪いけど、安いから、なんとか使おう、というものだった。しかし現在では、なんでもできるし、品質も安定しているけど、高くなった、という印象に変わっている。**

たとえば、三井住友銀行（中国）有限公司が公開した「中国製造業の現況と見通し」によれば、かなりの分野で中国は世界の先端に追いついているのがわかるし、それは日本人の感覚とも近いだろう（図41）。

映画『バック・トゥ・ザ・フューチャーＰＡＲＴ２』（１９８９年）では、日本製の半導体に

図41●中国企業の技術力に関する評価

○：世界基準の技術力　△：コア部品・ハイエンド製品で劣後　×：格差が大

発展段階	主要産業	技術力に対する評価	
世界市場大手	白物家電	○	（技術差なし、IoTの技術も優れる）
	建機	○	（低価格帯製品では世界大手）
外需取込期	鉄鋼	○～△	（汎用材はほぼ同等、高付加価値品の量産は課題）
	繊維・アパレル	○～△	（生産技術は遜色なし、デザイン力・ブランド力に格差）
内需取込期	ディスプレイ	○～△	（技術力は十分、ただし政府支援への依存大）
	医療機器	△	（ミドル・ローエンド製品の技術格差は縮小しつつある）
	自動車	△	（エンジン部品等で技術格差あり）
	電子部品	△～×	（高スペック品では技術格差が縮小する兆しなし）
黎明期	半導体	△～×	（前工程では5年程度の技術格差、設計・開発力は高い）
	医薬品	×	（新薬開発進まず）

ついて、未来から来たマーティが、1955年に生きる「日本製だから壊れたんだ」というドクに、「日本製の半導体は最高だ」と述べる有名なシーンがある。歴史は繰り返し、たった数十年で中国製が日本製を上回りつつある。

また、中国の労働コストが高くなっている事実も見てみよう。以下は、JETROが提供する「投資コスト比較」データによる。調査時点は2019年7月ではあるものの、実際のデータ時点はやや差異がある。また、各国の社会保障制度や調査対象も微妙に異なるため、一つの目安と思ってほしい（図42）。

■工場作業者の月給比較（単位：米ドル）

- ●深圳《シンセン》（中国）490
- ●クアラルンプール（マレーシア）413
- ●メキシコシティ（メキシコ）352
- ●ジャカルタ（インドネシア）308

図42●労働コスト

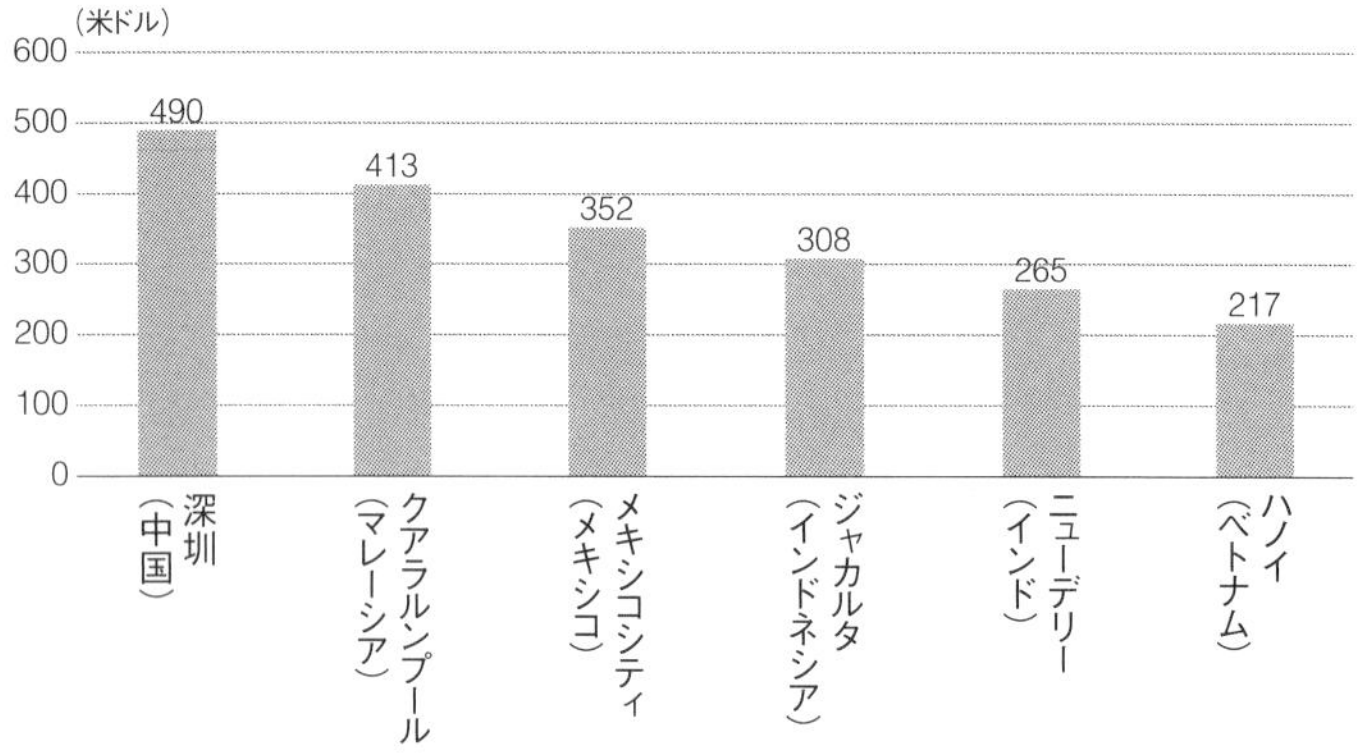

●ニューデリー（インド）265
●ハノイ（ベトナム）217

たしかに日本と比べたら安価ではある。ただ、それでも深圳は500ドルにいたる。もはや、日本の10分の1といった状況ではない。

フラットな見方は可能なのか

私は中国について、事実ベースで会話をするたびに、その困難さを感じている。なぜかそこに政治的な好き嫌いを持ち込みたがるひとが多い。中国産の食品について相対的な優位性を述べる。米国のほうがよっぽど違反率が高い。しかし、米国は良くて、中国は悪だという先入観にがんじがらめになったひとには、私は国賊のように映るらしい。

たとえば、このようなことがあった。iPhone

を生産している鴻海《ホンハイ》精密工業では、年間に30人の自殺者が出ていると報じられた。まさに中国の絶望工場だ。従業員の30人もの人びとが自ら命を絶つとはただごとではない。しかし、鴻海の工場では、最低でも50万人が働いている。10万人ごとの自殺者でいえば6人であり、極めて少ない。日本よりも少なく（あえて計算しないが、日本では年間2万人が自殺する）、韓国などと比べれば、むしろ優れているともいえる。もちろん自殺はあってはならないことだし、一人であっても痛ましい。ただ、それでも私は**クールな判断を忘れないようにしたい**と思う。

ある哲学者は「存在するものには理由がある」といった。もじっていえば、「調達されているものには理由がある」といえる。これは現状に対して批判精神をもつな、という意味ではない。先人たちも、それなりの理由があって、現在の輸入・生産体制にいたったのだろうと想像力をもちたい。

以前、こんなことがあった。私が勤務していた会社で、取引先の某社で大きな不良品が生じた。大騒ぎになって、トラブル処理に追われた。

その年末、優良品質取引先感謝賞に、その取引先が候補にあがった。驚いた。私が属する会社は複数の事業部門を有しており、一つの事業部門以外にとってみれば、その取引先になんの問題もないらしかった。

そこで検証してみると、たしかにその価格で、その品質のものを提供してくれる取引先は他にはなさそうだった。さまざまに検討してみたが、結局はその取引先との継続に落ち着いた。

仕事では、最高か最低を選ぶような瞬間はほぼない。選択肢のどちらにも優劣があり、よりマシなほうを選んでいかねばならない場合がほとんどだ。現実は、仮面ライダーとショッカーが闘っているわけではない。

だから100点ではないどころかマイナス側面があったにせよ、特定の選択肢を採用する戦略はありうる。**既存の仕組みを批判するのはたやすい。穴もきっとどこかにある。ただ重要なのは「いまの仕組みも、それほど悪くないかもしれない」と前提を立てておくことだ。**批判と代案も、そこから考え抜いたあとにしか生まれない。

しかし、人間はやっかいなもので、自分の経験や過去の思い込みから自由になれない。本章の例では、中国食品への悪い品質イメージなどがある。そこで、次に重要なのは、過去と現在は非連続だと考え、つねに現状から考えることだ。そして、できれば市場のデータを基本に考える。

たとえばある市場でどこかの外国企業がシェアをあげていたとする。その**外国企業に悪いイメージがあっても、市場シェアをとるのであれば、それなりに品質等の向上があると考えるべきだ。**だから、つねにデータにあたることと、自分の思い込みはあくまで一時点のデータによってつくり上げられたことを意識しておこう。

▼他国をイメージではなく、数字で判断することが正しい購買につながる。

8「日本の貨物量は増えている」は本当か？

▼個人の通販は増えても、全体の貨物量は減っている

思い込み

- 日本全体の物流は増えている
- 運輸業や陸運業は大変で、利益が出ていない
- 日本のトラックは忙しすぎて、大量の荷物を抱えながら運行している

実際は

- トンキロベースで見ると、日本の貨物量は減っている
- 運輸業や陸運業は利益を伸ばしている
- 日本のトラックはガラガラで運行している

日本は物流先進国だが

私は社会人1年目のとき、企業の資材係として配属された。資材係とは、製造業で、生産に必要な部材を買い集める仕事だ。そのころは、誰でもできる仕事と思われていた。当時、資材係と物流係は、同じような扱いだった。どちらも、モノを右から左に流すだけ。あるひとからは、「それらの仕事はコンドームなんだよ」といわれた。どういう意味なんですか、と訊いた私に「居ないに越したことはない。居るのであれば、存在感が薄いほうがいい」と教えてくれた。あやうく感心してしまうところだった。

しかし、このところ、資材あるいは物流の存在感が増してきた。それは二つの時代背景があるように思う。一つ目は、企業が右肩上がりの成長を期待できなくなったために、外部への支出を抑えたいこと。つまり、コスト削減へ注力しだした。そして、二つ目は、アマゾンの当日配送のように、物流そのものの優れた点で付加価値をつける企業が出てきたためだ。毎日のようにネットで買い物をするひとたちが多いからだ。

また、新型コロナウィルスでネット通販がさかんになった。食品から家具までネット通販の利便性を再認識した層や、はじめてネット通販を使いだした層がいる。リアルからネットへの流れは止まらないだろう。

物流とは、何かと何かをつなぐ役割をはたす。当たり前だが、生産地と消費地は異なる場合が多い。あるいは倉庫所在地と消費地は異なることが多い。また、さらにその生産工場に部材を提供する工場も日本全国に分散している。そして、その完成品を欲する消費者は全国いたるところにいる。

貨物を送ったら数日で目的地に届く国と、1カ月かかる国。どちらが住みやすいかはいうまでもない。物流が発展するほど、その国民の利便性があがり豊かになる。その意味では、日本は物流先進国だ。

日本の貨物量についての思い込み

ところで、私が次のようにいうと、多くのひとが驚き、そして、反論を口にする。

・日本国内の貨物量は減っている
・物流業者は儲かっている

多くの反論は次のとおりだ。前者にたいしては、「私は毎日アマゾンで購入しています」「メルカリだって使う」「重たい買い物をネットスーパーで注文して、自宅までもってきてもらっ

図43●日本のBtoC-EC市場規模の推移

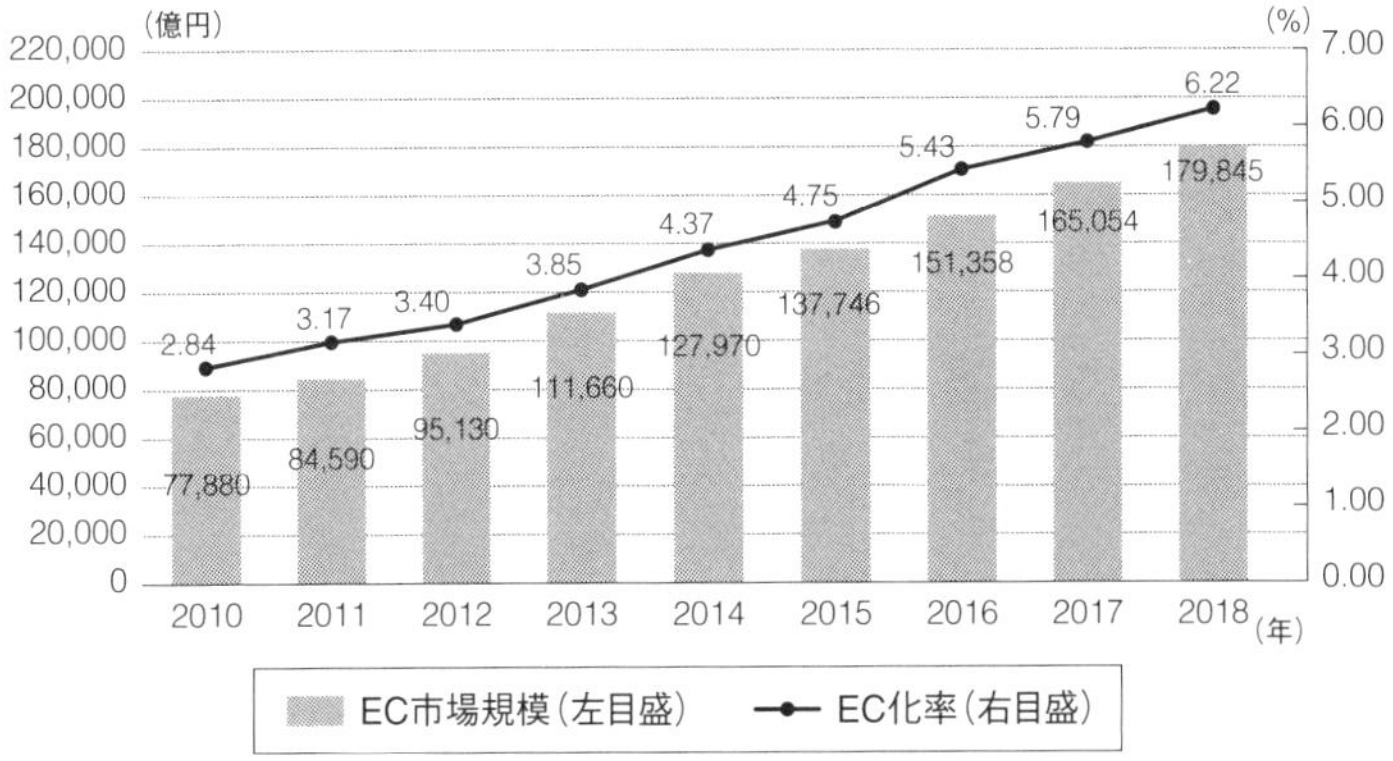

ている」……。後者にたいしては、「現場のひとは苦労している」「再配達が大変らしい」「人手不足と聞いている」……。

これらの感覚がすべて間違っているといいたいわけではない。しかし、**感覚と全体像が異なることはよくある。**とくに、自分の経験があまりに強烈だと、それに反するデータを提示するひとを、倫理的に批判したくさえなる。

平成元年から4倍になった宅配便依存の私たち

私はマンションに住んでいる。出かけるとき、そして、帰宅時にはベルを鳴らしている宅配便のドライバーたちに会う。アマゾン、ZOZOなどの段ボール箱を高く積み上げては、部屋番号を押し続けている。

図44●宅配便取扱個数の推移

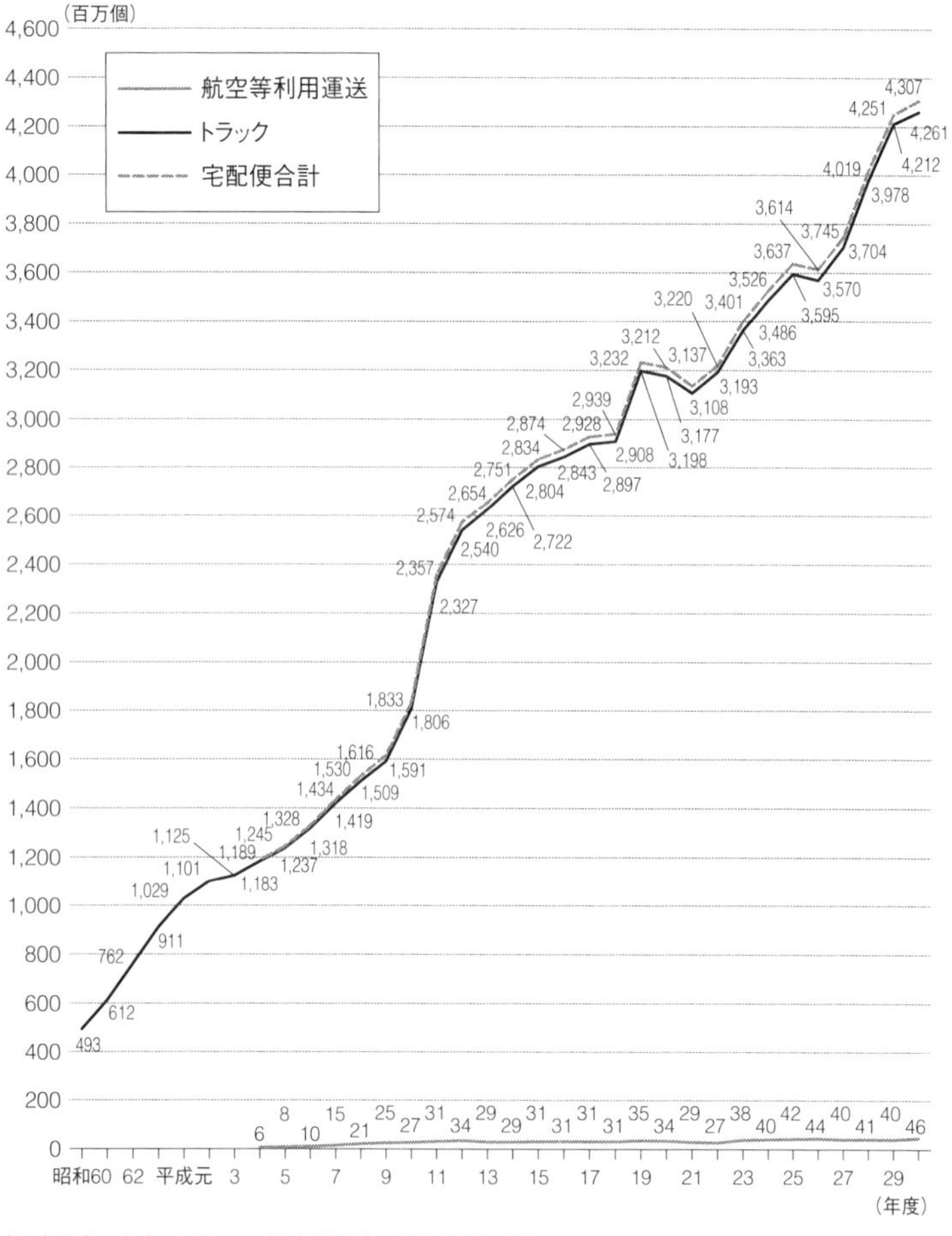

(注1) 平成19年度からゆうパック(日本郵便㈱)の実績が調査の対象となっている。
(注2) 日本郵便㈱については、航空等利用運送事業に係る宅配便も含めトラック運送として集計している。
(注3) 「ゆうパケット」は平成28年9月まではメール便として、10月からは宅配便として集計している。
(注4) 佐川急便㈱においては決算期の変更があったため、平成29年度は平成29年3月21日〜平成30年3月31日(376日分)で集計している。

私もリアル店舗からの購入ではなく、スマホ・ネット経由での買い物が増えている。書籍の購入はほとんどアマゾンになった。また、特定ブランドの購入はＺＯＺＯ経由になった。また家族もミネラルウォーターや、食材などを、ネットスーパーから運んでもらう機会が多い。

２０１８年時点ではネット経由で18兆円ほどの金額が企業から個人へと売買されている（図43）。さらにこの数字からは見えないが、メルカリのような個人間での売買もさかんになっている。なお、推定的な数字しかないものの、個人間のネットオークションだけで４０００億円程度と推測される。

それにともなって宅配便の需要が増えるのは当然で、現在では年間に43億個もの宅配便が日本中を移動している。平成元年と比べると、４倍の数字だ（図44）。

実は減りゆく国内の貨物

しかし、注意しなければならないのは、これらは私たちが認識しやすい対象の数字であって、全体を表現していないことだ。図45が示すのは、国内で取り扱われる貨物重量の推移だ。

平成８年度をピークに緩やかな下落が続いている。トラックの、営業用か自家用かは、運賃を受け取るか、自社商品を運ぶかでわかれる。見ると、自家用自動車で自社商品を運ぶ量が下

図45●輸送トン数の推移

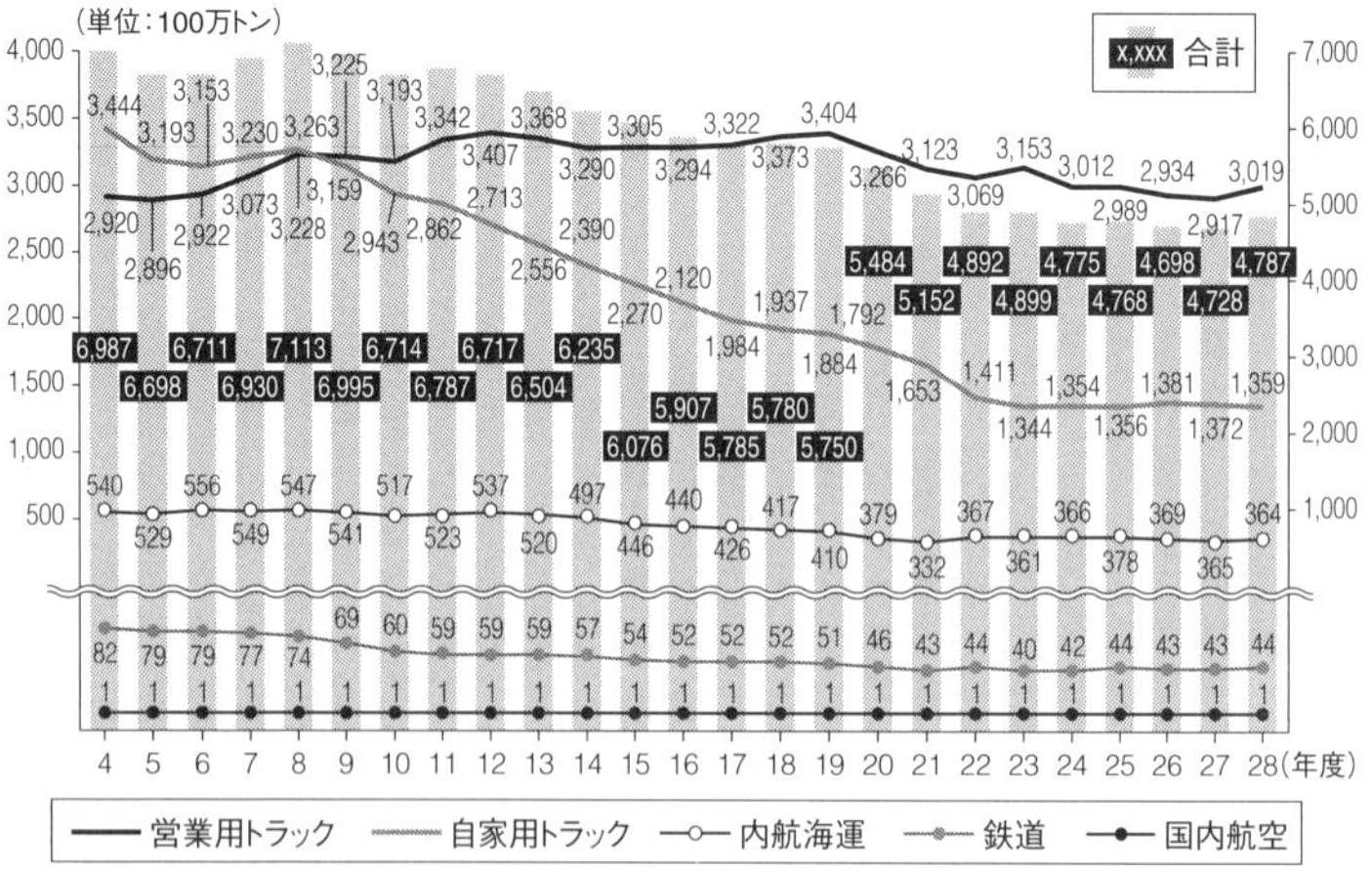

落している。意外なのは、営業用トラックの横ばい、減少が続いていることだろう。

次に、図46のトンキロを見てみよう。これは、先ほどのトン数にたいして、文字どおり、運んだ距離を掛け算したものだ。1トンのものを1キロメートル運んだら1トンキロで、100キロメートル運んだら100トンキロになる。

この数字も同様で、営業用トラックは比較的堅調だが、それにしても、伸びていない。全体の輸送トンキロ推移は、平成8年度の4950億トンキロをピークに、平成27年度の4070億トンキロと、トン数とおなじく緩やかに減少を続けている。

私は「日本国内の貨物量は減っている」と指摘した。これは意外に思われるかもしれない。

理由は簡単で、**日本は「作って、運んで、売っ**

図46●輸送トンキロの推移

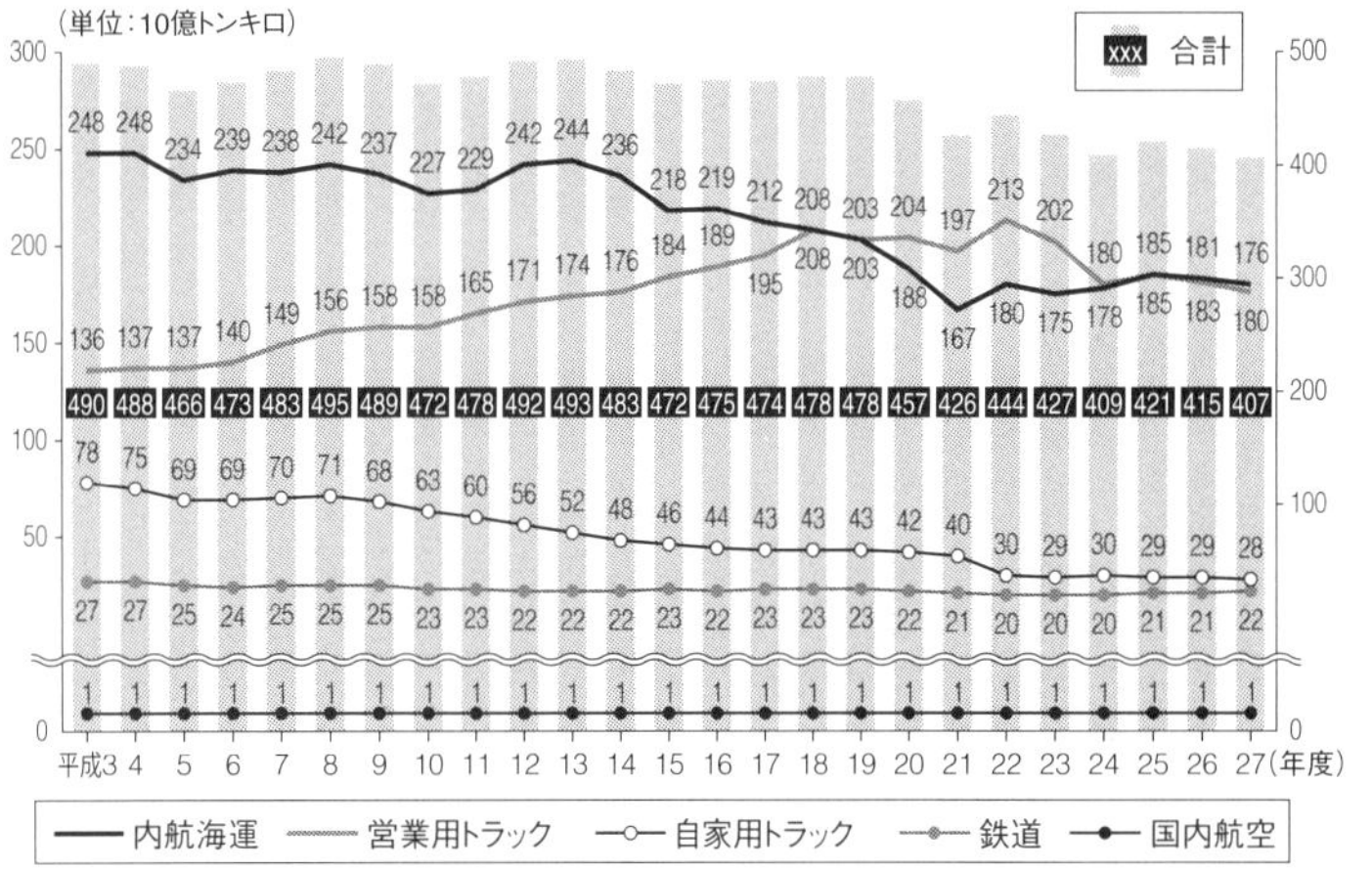

て、買う国」から「作らずに、売って、買う国」に変化してきたからだ。注目すべきは、先にあげたトンベース、トンキロベースは下がっているが、日本の経済は少なくとも横ばいを続けてきた（図47）。

もちろん世界と比べて、アジアと比べて、成長率の優劣を議論したいわけではない。あくまで、貨物量と比較したときに、国内経済が同様には下がっていない事実を示している。

そこで、「作って、運んで、売って、買う国」のうち、「作って、運んで」の代表である、農業や製造業の状況を確認してみよう。図48は国民経済における、第一次、第二次、第三次産業の比率を示したもので、第一次、第二次産業が下がり続けていることがわかる。

私は企業のサプライチェーンのコンサルティ

図47●国内総生産(ドルベース)

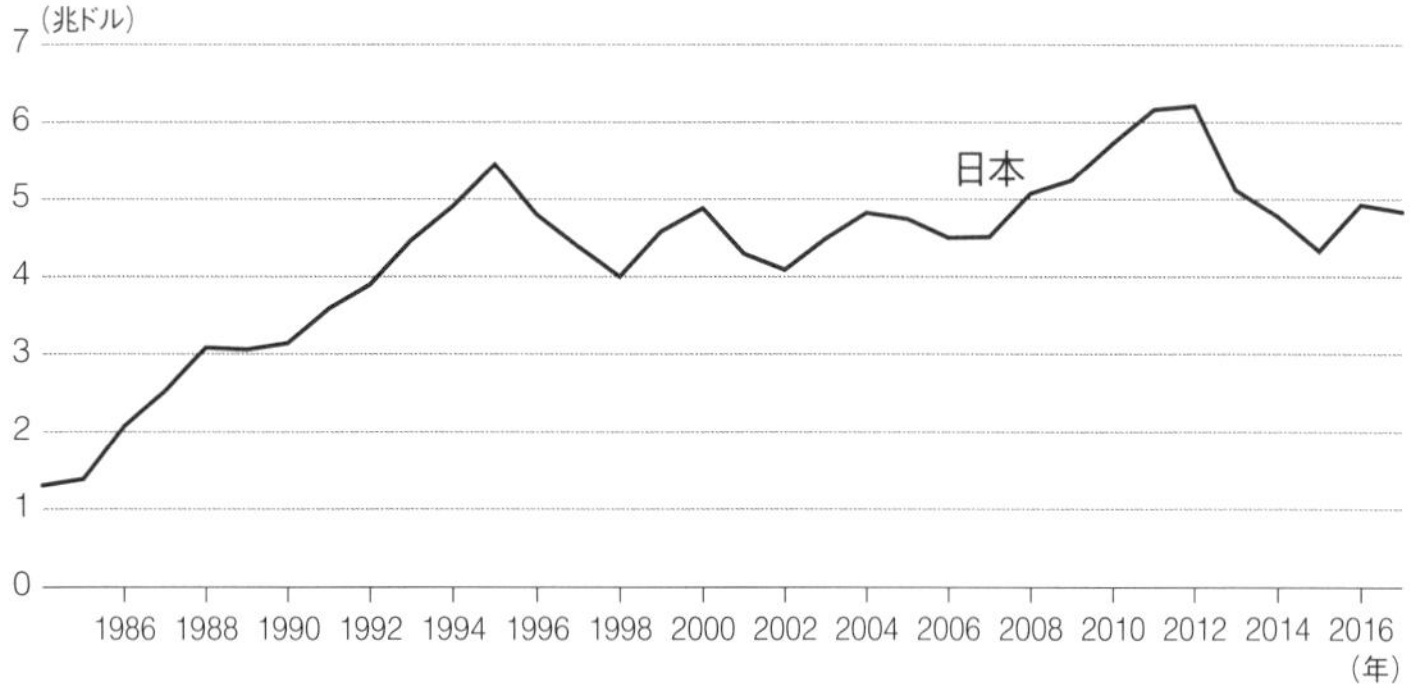

図48●第一次、第二次、第三次産業の比率推移

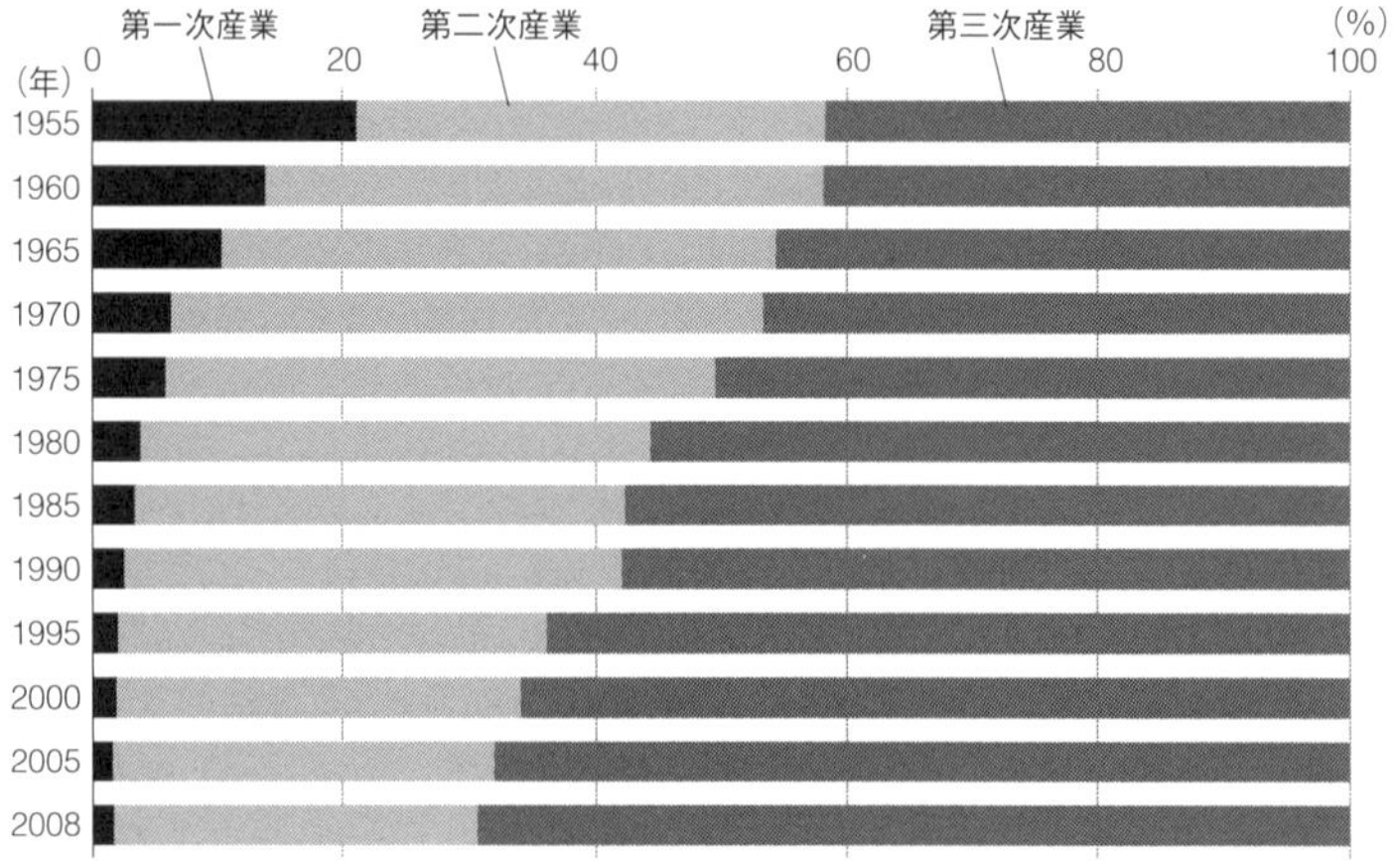

ング仕事に従業している。たとえば、企業が生産を海外に移管するとする。そうすると、本来であれば国内で仕事を受注できた取引先の売上が減る。当然ながら、運ぶものはなくなる。さらに、その取引先に部材などを納品していた孫受け、曾孫受けなどの取引先の仕事もなくなる。

消費者の目からは見えない、大きな変化は、貨物量の減少となって表れている。

現場の強烈な悲鳴がゆえに

ヤマトから端を発した宅配便危機は記憶に新しい。発端は２０１６年に発覚したヤマトの残業代未払いだった。そこからドライバーの長時間労働が明るみに出て、さらに、現場からの悲鳴が聞こえるようになった。

要するに、対応できる業務量を超えているという。そして宅急便の値上げがなされた。しかしそれでも物量は減らずに、メディアはヤマト以外にも現場で疲労しているドライバーたちを報道しつづけた。

朝早くからの荷役。重労働。次々にかかってくる電話。地点から地点へ急ぎ、家庭に配達しようとしても不在。結果として何度も通うことになる。休み時間はなく、営業所に戻るのはいつも夜遅く。一連の流れを、ヤマトショックと称するメディアもあった。

再配達率の多さも問題となり、各家庭での宅配ボックス設置などが議論された。とくに宅配ボックスの少ない集合住宅では、朝に宅配業者どうしで宅配ボックスの取り合いになる場合も多い。

ラストワンマイル、という言葉がある。これは、業者の拠点と消費者を結ぶ区間を指す。再配達が多いのも、このラストワンマイルにまつわる課題だ。

そこで、いくつもの解決策が考案されている。たとえば、ドローンによる配送。しかし過疎地ならまだしも、住宅密接地区ではプライバシーの問題もあるし、それに危険性もある。さらに、最後の受け取りはどうするのか。これはもっとも自動運転も同じで、最後の受け渡しが難

図49●就業者の年齢構成

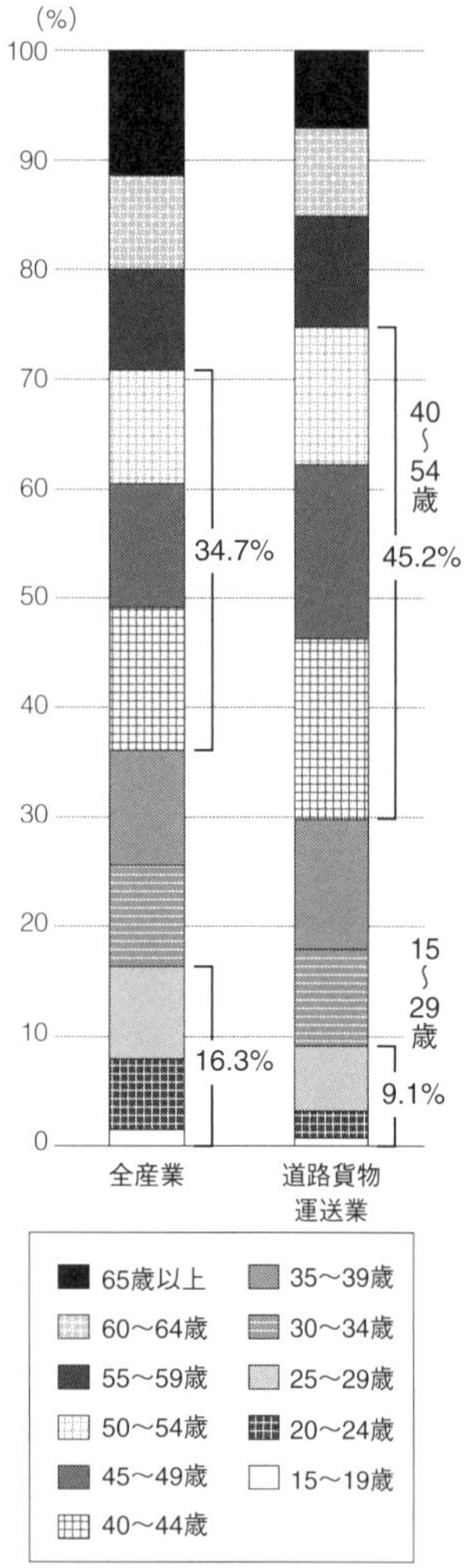

図50●各産業の経常利益率推移

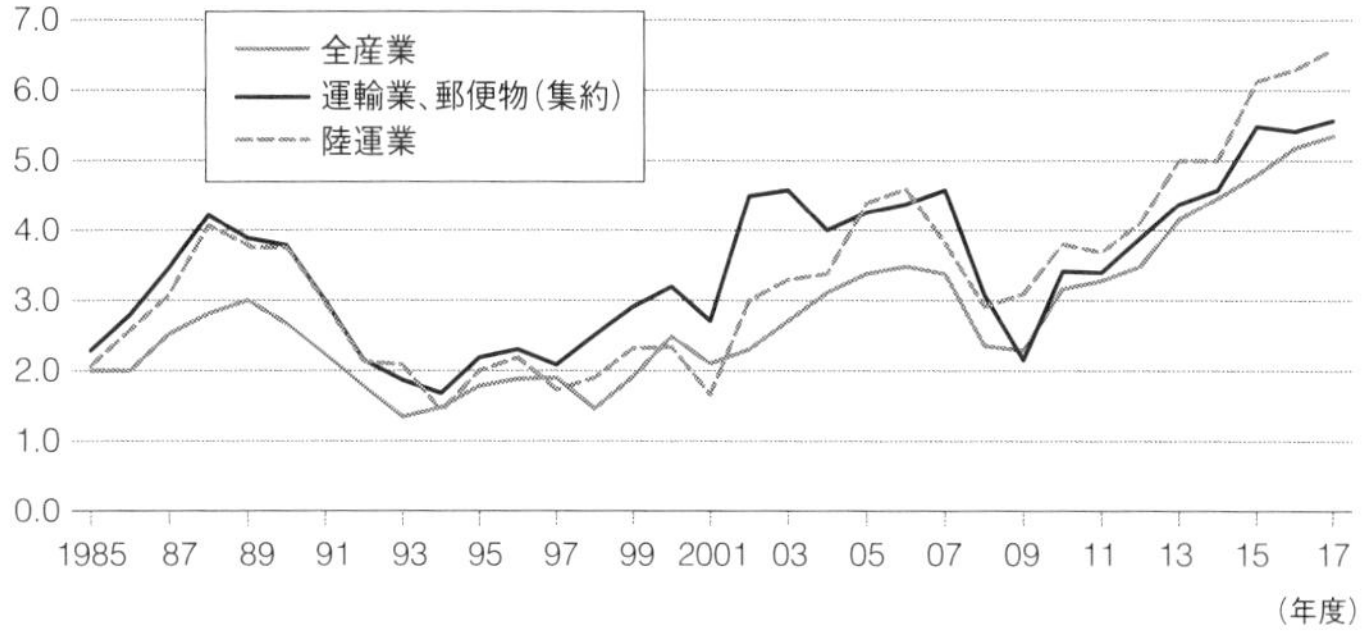

しい。ロッカーのようにトラックの側面を開けて受け取ってもらう方式も検討されているものの、ドライバーの代替になるのはまだ先だ。

ところで、私は前節で、「日本国内の貨物量は減っている」と指摘した。しかし、それは製造業などが減少したのが理由だった。ネット販売が増える以上、このラストワンマイルが大変になるのは間違いない。

さらにこのところ、ドライバーの高齢化がさかんに報じられている。有効求人倍率も高く、さらに、全産業平均よりも、就業者の年齢が高い。10代〜20代の比率が少なく、40代以上がきわめて多い（図49）。

報道で映ったラストワンマイルの様子と、このような高齢化を知るひとに、「物流業者は儲かっている」と指摘すると、かなり意外だといわれる。

実際に、過去30年の経常利益率推移を見てみる（図50）。全産業平均よりも陸運業は勝っているとわかる。それは運

図51●各産業の経常利益率推移（資本金1億円未満）

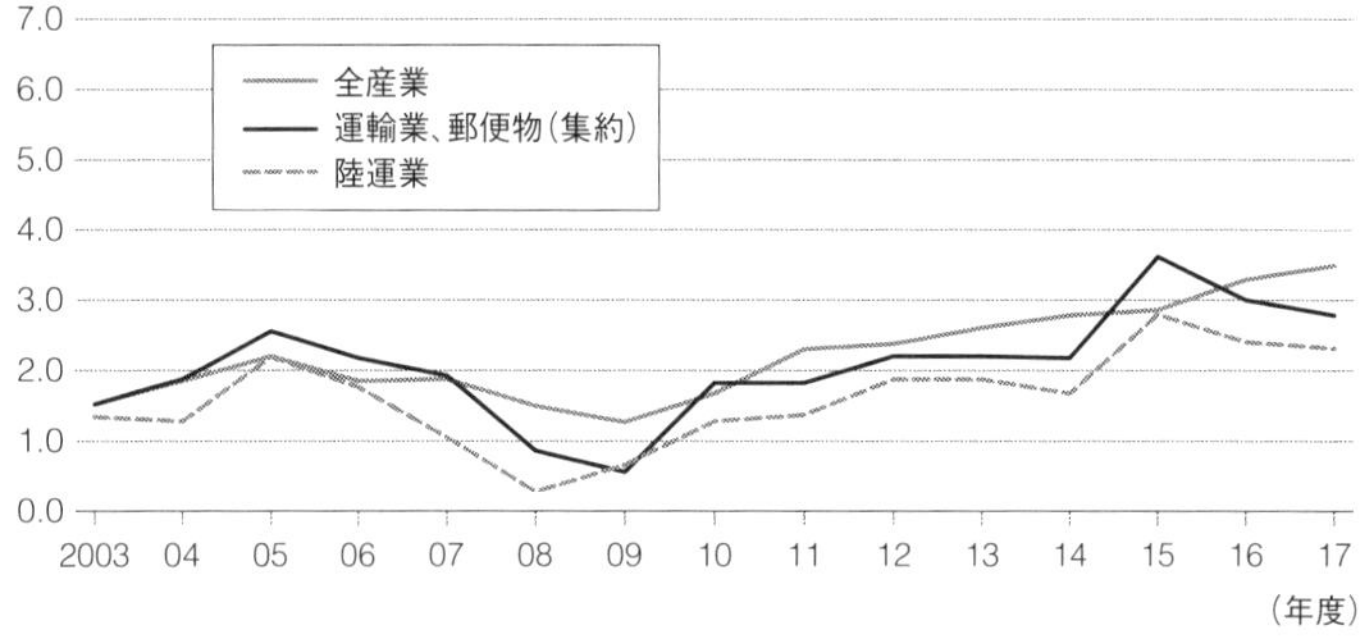

輸業も同じだ。しかも面白いことに、全産業が利益率を上昇させている時期と同じく、物流危機が叫ばれはじめた２００９年頃から利益率はむしろ上昇している。

念のために、条件を変えて、次に資本金１億円未満の企業を抽出してみたい（図51）。なるほど、たしかに、経常利益率は先ほどのグラフに比べると低い。ただ、全産業で見ても、資本金１億円未満の企業利益率は低い。

ちょっと余談ではあるものの、テレビを見ていたとき、ワイドショーが某中小物流会社の方にインタビューして現場での悲鳴を伝えていた。私はその会社名をメモし、その会社の３年業績を調査してみた。結果は、３期連続の増収増益であった。

現場はラクに違いない、といっているわけではない。もちろん現場のドライバーは大変に違いない。しかし、現場が大変で苦労しているのと、利益は別問題という意味にすぎない。

フェイスブックと個人の黄昏

私は小規模なコンサルティング会社に属している。そして、個人や同じく小規模なコンサルティング会社の知人が多い。そして、フェイスブックでつながっている。

毎日、私のフェイスブックには、その知人たちが活躍する様子が流れてくる。講演の様子、コンサルティングの様子、出張時の空港、有名人の誰かとのツーショット……。その写真と、ポジティブなコメントからは、不調を知らせるかけらもない。

それなのに、定期的に「廃業しました」と連絡が届く。あれほど華やかな様子だったのに、と訊くと、事業がうまくいっていなかったと聞かされる。もちろん、彼らが投稿していた内容が嘘だったわけではない。その出来事は本当だった。

しかし、あくまでそれは現実のかけらにすぎず、**残り99％の現実はまったく違った様相を呈していた。**

逆もそうだろう。日々、大変な仕事をアップしているからといって経営に行き詰まっているとは限らない。むしろ、それだけ仕事であふれていると思うべきかもしれない。

自分が見ている現実と社会の現実は違う

ここから教訓を導くことはできるだろうか。

それはきっと、「自分が見ている現実」＝「社会の現実」と思わないことだ。いや、もちろん、「自分が見ている現実」＝「社会の現実」である場合は多い。しかし、いったん保留して、「自分が見ている現実」≠「社会の現実」ではないかと思ってみる。

たしかに**自分が住んでいるマンションには荷物が毎日のように届いているかもしれない。コロナ禍以降は、とくにそうだろう。しかし、それは消費の一部であり、それだけをもって物流が興隆していると判断はできない。**

また、話を変えるようだが、私はテレビ番組の企画を打ち合わせする機会が多い。そのときに、テレビスタッフが「それは絵になりません」とよくいう。最初は意味がわからなかったが、徐々に理解してきた。画像として面白くなければ取り上げられない。内容の同じニュースでも、絵的に視聴者をつかめるかが問題だ。

たとえば物流の世界で劇的な効率化を図るソフトが登場しても、それが地味ならばテレビニュースにはならない。失礼だが、現場のドライバーが汗をかいて商品を運ぶときに転んだり、お客から怒られたりしている姿のほうが報じられる。

　だから、**メディア、とくにテレビなどで報じられる内容は、ある種の側面が強調されているのであって、それを全体像だと思い込まないようにしたい。**先ほどの例では、「現場のドライバーが大変そう」＝「儲かっていないに違いない」といった誤解だ。

何も運んでいないトラックのビジネスチャンス

　私がどこかへ荷物を送るとする。当たり前だが、ドライバーはそこに届ける。配達所に戻ってくるときにも、荷物を運べればいいものの、できなければ空気を運ぶことになる。

　トラックが走っているとき、そこに何も積まれていないとはあまり想像もしない。しかし、実際には多くのトラックは何も運んでいない。ここにも思い込みと現実のギャップがある。具体的な数字を見てみると、トラックの能力にたいして、４割程度の貨物しか運んでいないことがわかる（図52）。

　あれだけ大量の段ボール箱を運んでいるドライバーを見ているから、日本全体では「もっとも運ばれているのは空気だ」と知られていない。しかし、現実を知ることで、新たなビジネスを発想できるだろう。

図52●トラックの積載効率の推移

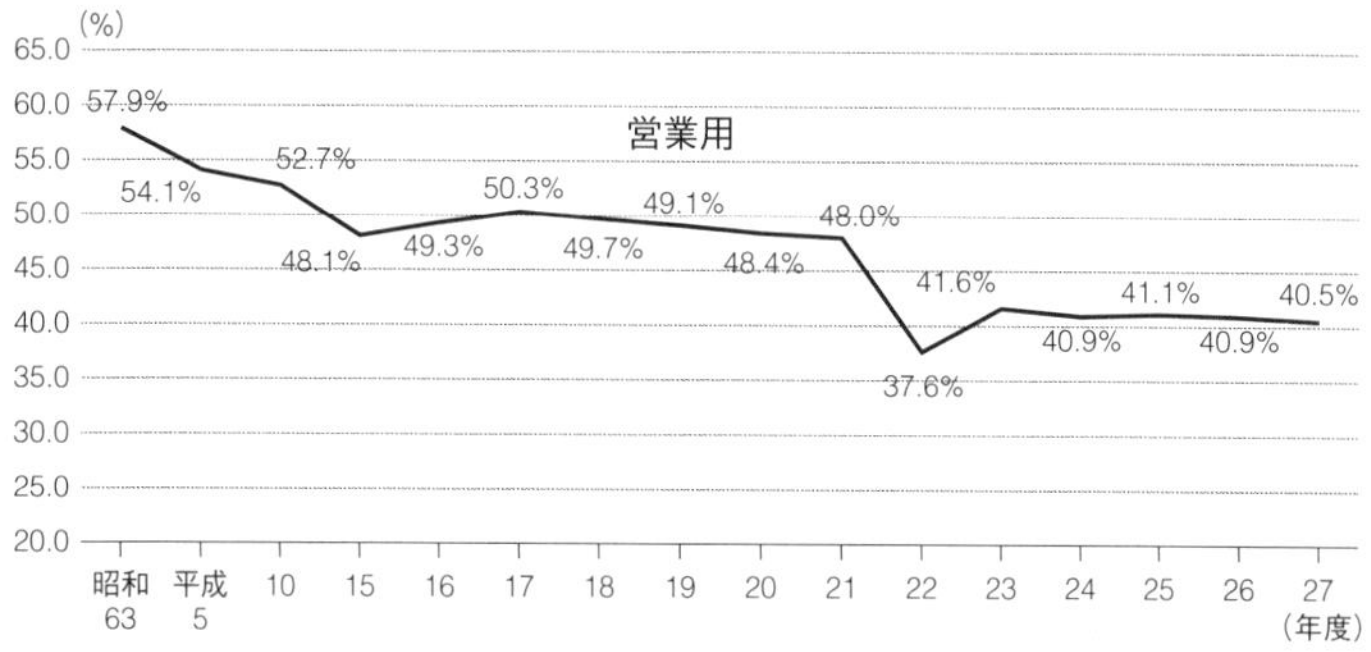

実際に、帰りの便を有効活用できるように、貨物を募集するサービスが登場している。また異業種で共同物流によりトラックを有効活用する例もある。

もちろん積載率は一例にすぎない。物流に携わるひとなら、私が指摘する前から知っていただろう。しかしここで私が強調したいのは、**見た目と実態の乖離《かいり》が、新たなビジネスチャンスを生む**点にある。しかも、これらのデータはすべて公開情報だ。

ところであなたの自宅に、ヤマト運輸か佐川急便か日本郵便か、あるいはアマゾンの業者、または西濃運輸かもしれないが、そういった業者以外が荷物を届けに来たことがあるだろうか。特定の数社しかやってこないはずだ。

たとえば、企業間で工場と工場のあいだを行き来したり、特定の特殊物流に関わったりする業者は専門に特化しているので、家庭への配達を請け負うことはない。

製造業の生産が減ってしまうと影響を受けるのは彼らで、

不稼働時間が多くなっている。とくに新型コロナウィルスで産業分野の活動が少なくなってしまった現在はより深刻だ。

ただ、その危機を好機と捉えることができる。

マッチングアプリで、企業間物流の空き時間を活用できるよう、荷主との橋渡しをするものがある。さらに、物流倉庫も空きスペースが目立つようになっている。これもマッチングアプリで必要な人たちに貸し出せる。

また、先ほどトラックの積載率が４割程度であると話した。その理由の一つとして、日本の悪しき習慣がある。それは、時間指定納入だ。たとえば「この荷物は工場に12時にもってこい」と指示をする場合がある。遅れは許されず、とくに、ＪＩＴ（ジャスト・イン・タイム）生産をしている顧客は、早めにもっていっても怒られる。自動車メーカーによっては、一日に何回も時間指定をする。

何が起きるかというと、顧客の工場横に、だいぶ前から停車しておくのだ。時間になるとトラックが工場内に入る。細やかに納品するので、積載率が高まるはずはない。

ならば、顧客が取引先の工場に取りに行く、という手法はありうるだろう。配送費分の費用を安くしてもらって、代わりにトラックを仕向ける。これは実際にミルクラン方式といって導入が検討されている。

忙しくて大変そうな業界の大部分が、むしろ、空き時間や空き積載に困っているとわかった瞬間にいろいろなアイディアが浮かぶに違いない。

「目の前の状況は、世界の一部でしかない」

▼目の前の現実から抱く印象と
データが同傾向か、つねに疑おう。

9 「気温・天気が企業業績に影響する」のは本当か？

▼降水量も気温も企業業績には関係ない

思い込み

- 暖冬や冷夏は、エアコンや氷菓子が売れなくなったりと、企業の業績に影響を及ぼす
- 雨がよく降る年は、小売店の客足が遠のくなど企業業績が悪化する
- 夏は暑くて、冬は寒いほうが経済は活性化する

実際は

- 気温と企業業績のあいだに明確な相関関係はない
- 降水量と企業業績のあいだに明確な相関関係はない
- 気温差が激しくてもそれがそのまま経済を好循環させるわけではない

物事を単純に考えたいひとたち

私は芸能人ではないが、いわゆる文化人の枠で、レギュラーで出演する番組がいくつかある。10年ちょっと前、私が30歳のとき、たまたま声がかかり、ある番組のレギュラーになったのがきっかけで、本業の傍らこの仕事を続けている。

みなさんとおなじく私も一般人だ。はじめて全国放送の番組に出ることが決まったとき、スタッフに「MCが台本にないことも質問してきますので、臨機応変にお答えください」といわれても、普段どおりに話せばいいんだろうと思っていた。

スタジオで席に座る。ライトやカメラや無数の関係者がいてテレビでしか見たことのない芸能人たちが次々にやってくる。収録がはじまって、MCからふられたら、自分で何をいっているかわからないくらい緊張していた。さらに、本当に脈絡なく話が展開するので、アドリブで答えなければならない。ちゃんと説明しようとすると長くなるのに、話しだした瞬間、フロアのADさんは「あと何秒」と指でカウントしている。

回数を重ねてわかったことがある。

たとえば不景気について質問されたとする。本が一冊は書けるくらい論じる観点があるだろう。しかし、複雑怪奇な意見は求められていない。一言で極端なほどわかりやすく語る必要がある。「トランプ大統領が問題ですよ」でも、なんでもいい。わかりやすいほどいい。

その後も、さまざまな番組で「なんか一言、ズバッといえませんかね」と繰り返し要求された。そのうち、私も求められるがまま、わかりやすく、そして端的な説明を心がけるようになった。

しかし、実は発言した本人がもっともわかっているのだ。世の中はそんなに単純ではないと。トランプ大統領が世界経済に及ぼす問題はあるだろう。しかし側近たちの意思もあるだろうし、時流もある。各国との関係、さらには反対勢力の活動もある。もっといえば、一国だけで世界経済のすべてを説明できるはずはない。その他の問題も同じだ。

書店にあふれる本を見てみればいい。何か一つから全体を解説する陰謀論的なものであふれている。それはビジネス書も同じだ。あれは書いている本人が、たった一つの事象で世の中全体を説明できると思っているなら、よほどおめでたいだろう。

ただ、視聴者やリスナーが理解できるように、わざと馬鹿なほどわかりやすい説明が求められていると思っていた。しかし、これも年数を重ねるうちにわかってきた。そうではなく、視聴者やリスナーが安心したいためだった。

経済が悪くなっているのに対して、ここに犯人がいます、と聞いて安堵したい思い。複雑系の世の中を受け入れるのではなく、これが原因なんだと信じたい気持ち。**単純思考は放送の掟というよりも、人間心理に根ざしたものだった**のだ。

ただそれでも社会は単純ではない。

雨が降ったら業績が落ちるの嘘

以前、テレビで共演した文化人が面白いことをおっしゃっていた。「雨が降ると小売店はいやなんですよ。お客さんが来なくなるでしょう。だから、雨の日は売上が落ちて、会社の業績もダメになる。逆に雨の日に価格交渉すると安く買えるんですけどね」

面白いが不思議に感じた。いまではネット通販もある。買い方は多様化しているはずだ。また、いくら雨でもスーパーマーケットで食料品は買うのではないだろうか。

もっとも私も経験がないわけではない。雨だから外出を控えようと決めたことはある。ただし、テレビが必要だとして、雨の日は買いに行かなくても、晴れた翌日に買いに行くくらいではないだろうか。

もちろん雨の日に街中へ繰り出さなかったため、たまたま巡り合ったはずの書籍は買わないかもしれない。私はそのパラレルワールドを知り得ないのでわからない。でも家にいて、ゲームをしながら、晴れの日には買わなかった、電子書籍を買うかもしれない。

本当に雨が降れば企業業績が落ちるのだろうか。

結論からいえば、関係性は見出せなかった。

図53・54の点の一つひとつは、ある年度を指す。横軸は平年よりもどれくらい雨が降ったかを指すパーセンテージだ。そして、縦軸は、全産業の営業利益率を指している。雨がよく降るときも、降らないときも、そこに法則性を見つけるのは難しい。

さて、小売店であれば、影響するのだろうか。

これも関係性や法則性を見出すのは難しい。

もちろん、私は客足が遠のくのは否定しない。現在では、統計データを重ね合わせて、気温や天候情報を使って、来店者数を予想し、そこから最適な商品仕入れ数を決めるなどの取り組みが進められている。ただ、あくまでもそれは日々の予想だ。年間を通じたものではない。

ある大臣の発言から考える気温と企業業績

昔、ある大臣が「今年の冬は暖冬だったから、小売業をはじめとし企業業績が悪くなり、景気が冷え込んだ」といった発言をしていた。なるほど、この発言はわかりやすい。

図53●全産業の営業利益率平均と降水量（東日本）

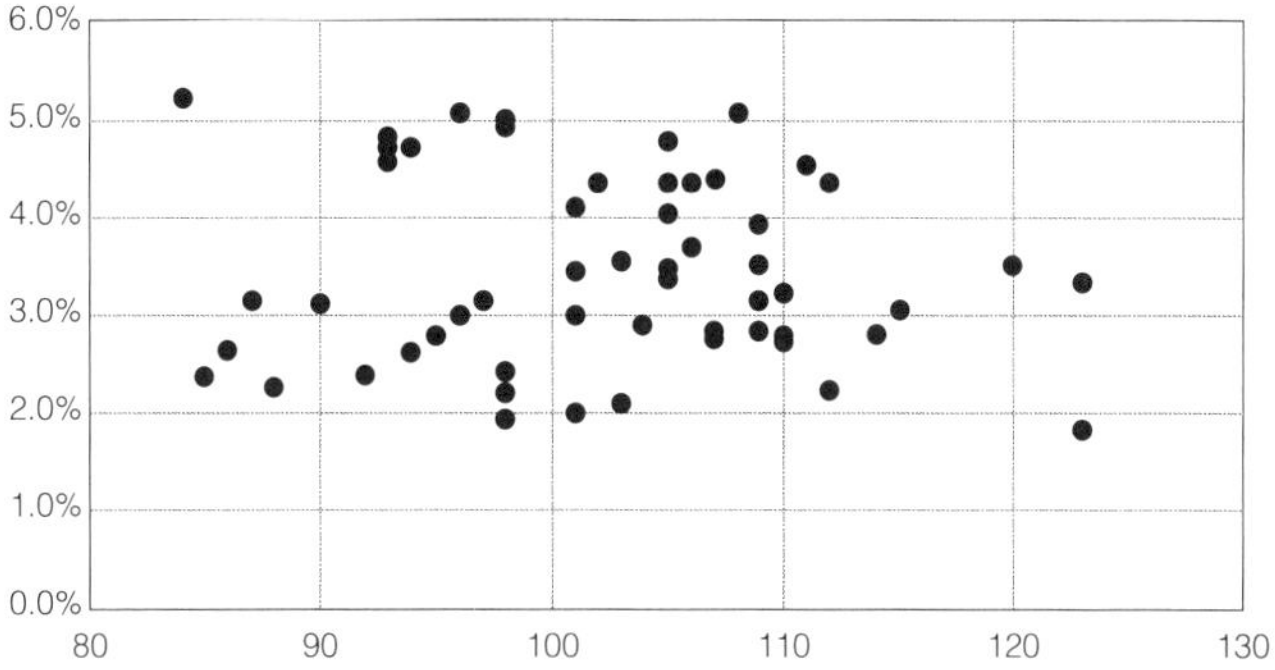

図54●小売業の営業利益率平均と降水量（東日本）

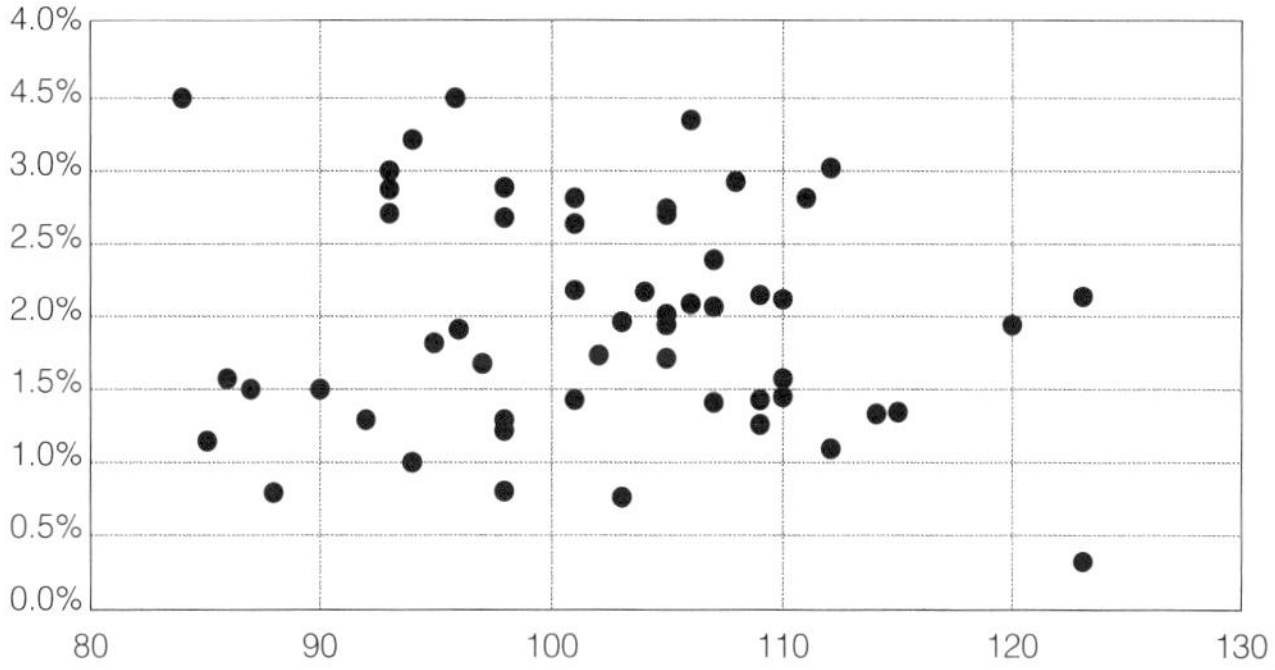

●あまり寒くならない↓エアコンや重衣料が売れない↓企業業績が悪くなる

これは、夏にもいえる。

●あまり暑くならない↓エアコンや氷菓子が売れない。ビアホールなどの需要もない↓企業業績が悪くなる

因果として、多くのメディアも気温と企業業績を報じている。ところで、この因果が正しいとすると、もっとも企業業績の盛り上がる環境にある国は、猛暑と厳冬を繰り返す国となる。国民にとっては住みにくいだろうけれど、国民生活の苦しみを和らげるために商品が売れるとすれば企業業績があがる理屈になる。

ところで、この言説は本当だろうか。そんなに単純なのだろうか。もっと大きな世界経済の波もあるだろうし、さまざまな環境も移りゆく。

そこでさっそく、調べてみた。使用したのは平年差というもので、気象庁が観測する気温データが平年よりも暖かければプラス、寒ければマイナスになる。それと企業の売上高比営業利益（本業の儲けを示す）率をあわせてみた（図55・56）。

おなじく、点の一つひとつはある年度のデータを指す。

右に行くほど暖かく、左に行くほど寒い。なお、図55は東日本だが、西日本のデータを使っても同様だった（図56）。

図55●全産業の営業利益率平均と平年差（東日本）

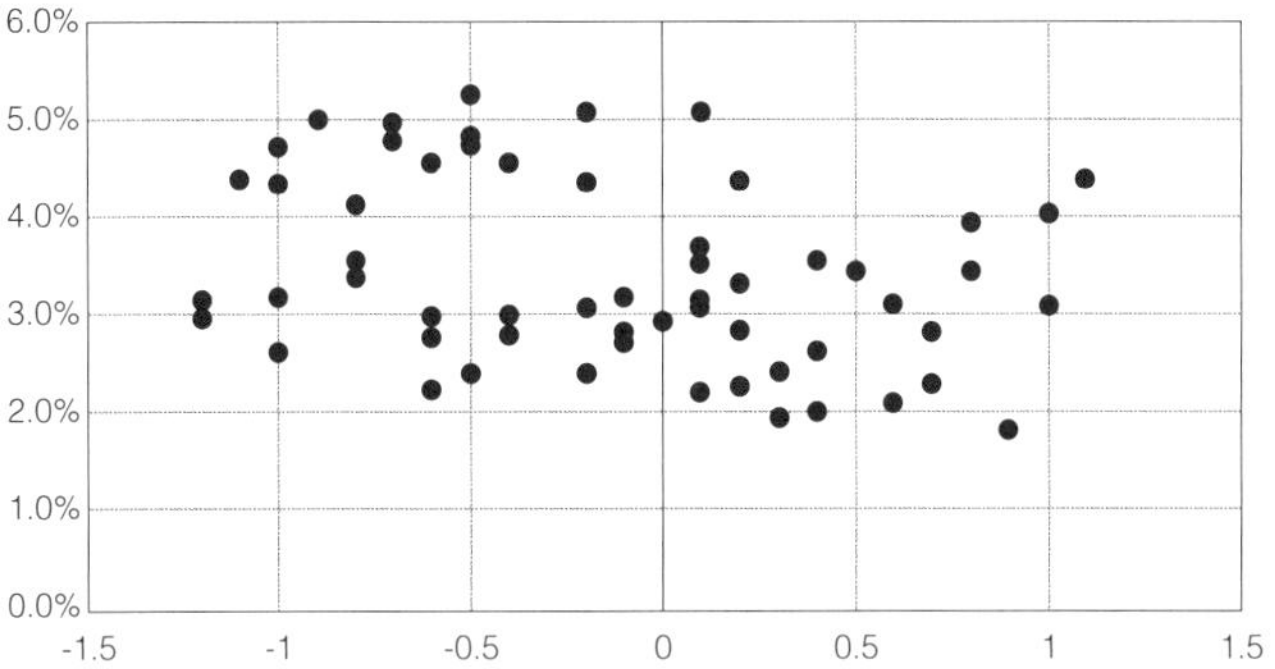

図56●全産業の営業利益率平均と平年差（西日本）

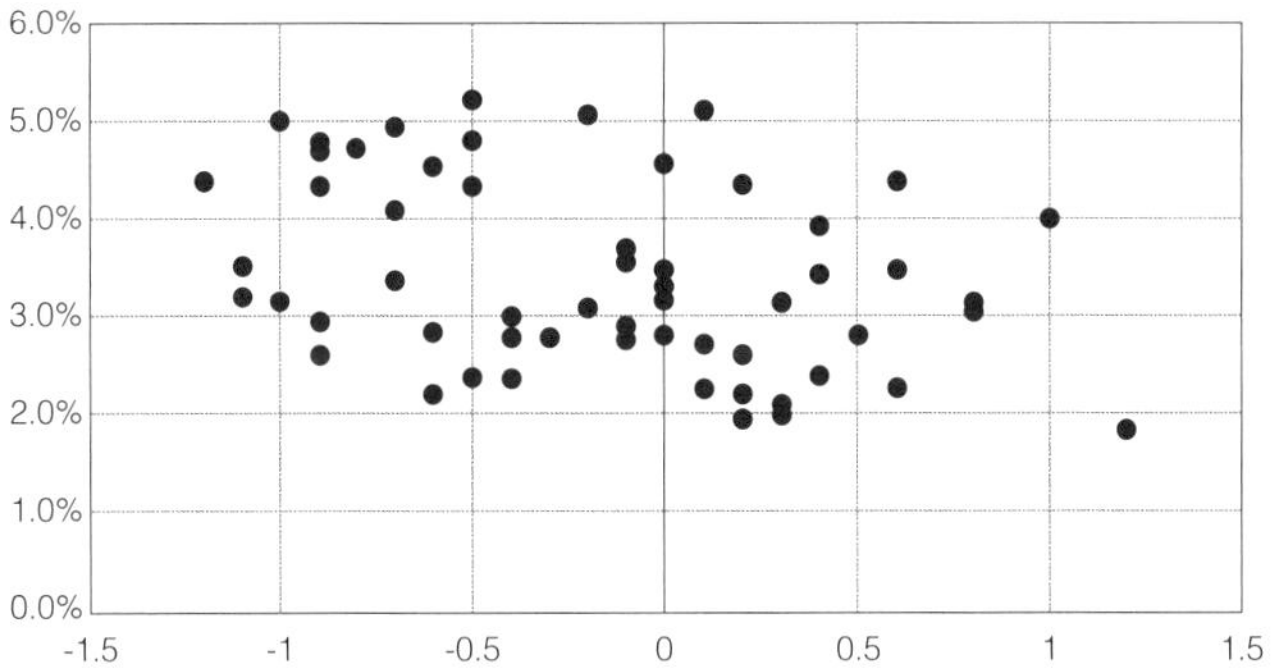

図57●小売業の営業利益率平均と平年差(東日本)

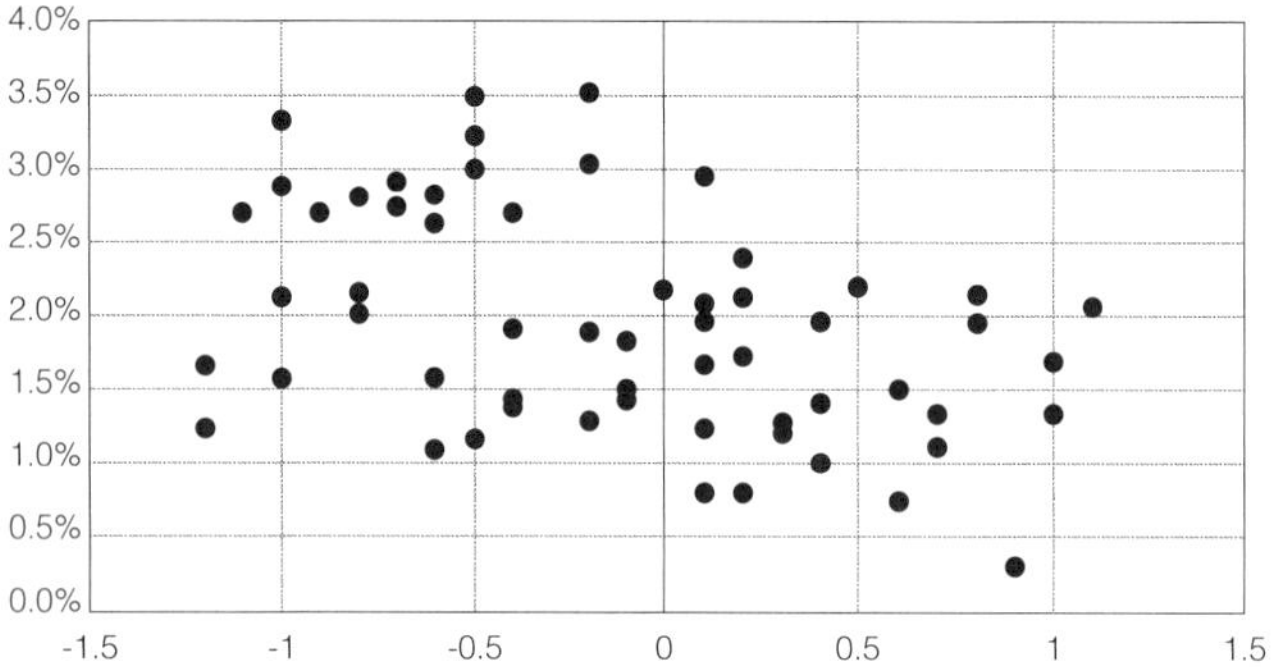

図58●衣服・その他の繊維製品製造業の営業利益率平均と平年差(東日本)

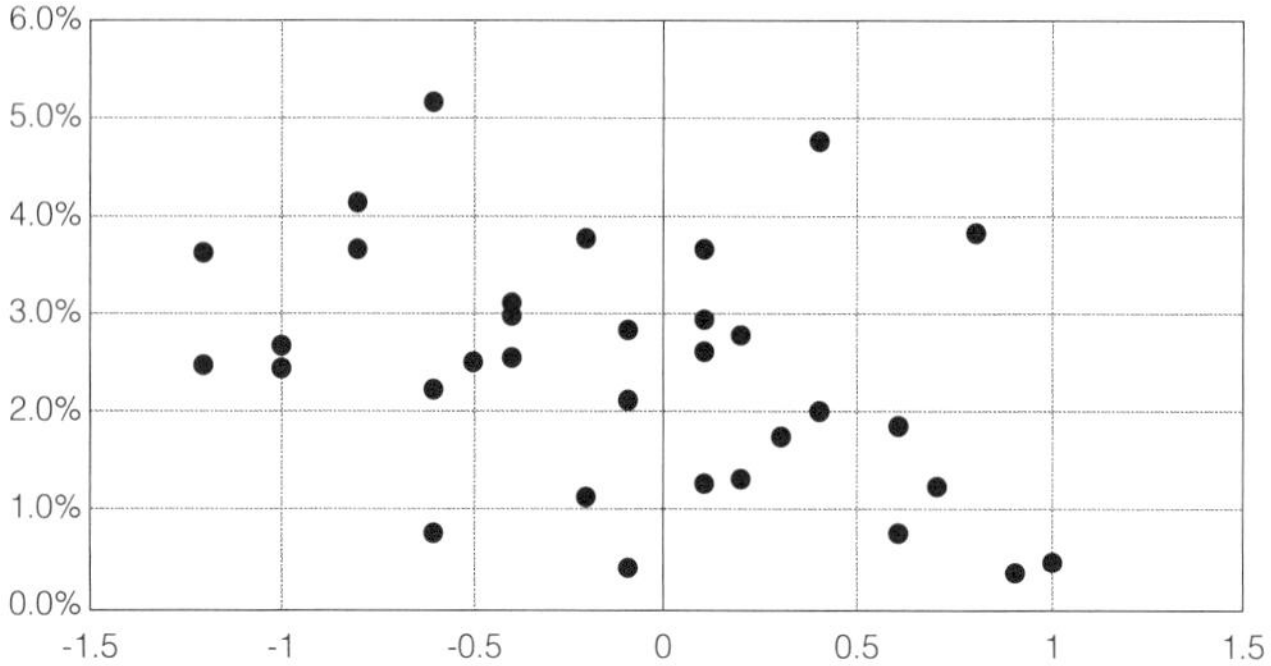

調べる前は、多少なりとも影響するのではないかと思ったが、見事に無相関のようだ。しかし、それでも、小売店は関係があるのではないだろうか。そこでこれも調べてみたところ、おなじく相関は確認できなかった（図57）。大臣の発言を引けば、衣類くらいは関係があるのかと思ったら、これも相関がなかった（図58）。おなじく東日本同様に西日本のデータを使っても同じだった。結論をつけるならば、気温と利益率の明確な相関は見つけられない。

気温差の激しい国と変わらない国

なお、先ほどのデータは日本国内で暑い年、寒い年を見たものだった。では、次に、そもそも暑い時期と寒い時期で、大幅に気温が変わる国のほうが経済は活性化すると思っていいのだろうか。

年間を通した、世界各都市の毎月の平均気温を調べてみた（図59・60）。そして、もっとも気温が高い月と、低い月の差を見てみた。たとえば、ある国で夏の平均気温が30度、冬の平均気温が5度だとしたら、その差は25度になる。

気象庁が公表している差の激しいトップ10はこうなる（図59）。年間を通して60度も気温が

図59●気温差の激しい世界の都市

地点名	国または地域	月平均気温の最大値	月平均気温の最小値	差
ベルホヤンスク	東シベリア	16.2	-45.3	61.5
ウランバートル	モンゴル	18.5	-21.7	40.2
チャンチュン	中国東北区	23.2	-14.8	38
ボストーク基地	南極大陸	-31.4	-68.5	37.1
イルクーツク	中央シベリア	18.3	-17.7	36
オムスク	西シベリア	19.6	-16.2	35.8
ウルムチ	中国西部	23.8	-12	35.8
オホーツク	東シベリア	13.5	-20.8	34.3
プリンスアルバート	カナダ	18.1	-16.1	34.2
グース	カナダ	15.5	-17.6	33.1

図60●気温差の少ない世界の都市

地点名	国または地域	月平均気温の最大値	月平均気温の最小値	差
カラカス	ベネズエラ	28.2	25.2	3
プエルトリモン	コスタリカ	26.4	24.5	1.9
ポルトベリョ	ブラジル	26.4	24.6	1.8
コロンボ	スリランカ	28.7	27	1.7
フォルタレザ	ブラジル	27.7	26	1.7
ココス諸島	ココス諸島	27.6	26.1	1.5
コタキナバル	マレーシア	28	26.6	1.4
クアラルンプール	マレーシア	28	26.7	1.3
ヤップ島	カロリン諸島	27.9	27.1	0.8
マジュロ	マーシャル諸島	27.8	27.5	0.3

変わるとは信じられない。シベリア、中国、さらにカナダが入っている。一人あたりのＧＤＰを並べるまでもなく、あまりに寒暖差が激しい場合、そもそも経済活動が難しい。程度の問題だ。

逆に、差が少ないトップ10は図60だ。

気温差のない国が逆に良いかというと、そうでもない。マレーシアは成長を遂げているものの、これも気温うんぬんだけで語ることはできない。このほか、Ｇ７やＧ20の加盟国と気温の関係、ならびに経済成長率などなどに関係性がないかと調べたが、それでもやはり明確な相関や因果関係も証明できなかった。

天気のせいにするのは単純すぎる

あるプロボクサーと番組で長い時間をかけて話したことがある。３階級を制覇したチャンピオンで、鬼のような努力で知られる。苦労人でかつ挫折を何度も経験している。ご著作には血の滲むような練習の日々を描いていた。

趣味を訊くと、神社をめぐることだという。努力と神頼みがあまりにかけ離れていたので驚いていると、「最後は神様にお願いするしかありません」とのことだった。「ただ、もちろん努力に努力を重ねたあとの話ですよ」と笑ってくれた。

「運を天に任せる」といった言葉がある。これは成り行きに身をゆだねる意味だ。本来は、先のボクサーのように、最大限の努力をしたあとで天に任せるべきところ、うまくいかない理由をすべて外的な要因のせいにするひとがあまりに多い気がする。

まさに天候や気温は天の意志だろう。**単純に考えたいのはわかる。ただしそれでもなお、物事は単純ではない。何か一つの責任にできるほどわかりやすい因果関係をもっていない。**しかし、**その複雑な世界を認め、そして感じ、ありのままを見ることこそ現代に必要な態度**ではないだろうか。

ところで私がテレビ局に打ち合わせに出向いていたときのこと。突然、プロデューサーから相談を受けた。その日の朝のコメンテーターの発言で批判が集まっているという。某アイドルが東北で復興コンサートを実施したのだが、コメンテーターは経済効果がほとんどない、と発言したようだ。

普通に考えれば、大きなイベントがあったのだから、経済復興に役立つ気がする。しかし、もうちょっと考えてみれば、そのコンサートに使った1万円は、生活のどこかで1万円を節約するはずだ。これを代替効果と呼ぶ。収入が変わらない以上は仕方がない。だから、東北ではいくばくの効果があったかもしれないが、日本全体で見れば、さほど効果はない。きわめて正しい解説だ。しかし単純に考えたい人ばかりだから炎上したようだ。

たとえば**気温差で経済が活性化するのであれば、昨今の異常気象は歓迎するべき事象になる。ただ実際はそれほど単純ではない。**

私がかつて会社員だったとき、役員同士の会談に同席していて勉強になった瞬間があった。先方の役員が「いやあ、おたくからの仕事が減っているので、大変ですよ」といった。それは雑談とか口上のようにも感じられた。するとこちら側の役員は「具体的に何%の影響ですか」と質問した。先方は、「いや、そこまではわかりませんけれど、影響は大きいと思いますよ」といった。こちらの役員は「でも、具体的な数字がなければ議論できないですねー」と話題自体を停止させた。

なかなか感心する議論の運びだったように私は思う。抽象的な議論になりそうなときは、細部をしつこく聞き議論の前提を崩すのが定石だ。「おたくから受注した仕事の利益率が悪くて、うちは厳しい業績でした」↓「なるほど。ということは、もともとどれくらいの利益を予想していて、原価はいくらくらいで、それが全体にどのように影響したんですか」と返すのは一手だ。

同じく、自分の発言にも気をつけたい。というのも、人間は本章で書いたとおり、単純な一つの理由で全体を説明しようとする。つねに、**私たちは細分化を心するべきだ**。たとえば、気候が売上減少の要因だとするなら、あえて、気候不順によって売上減少の何割を説明できるか考えてみる。10割だと最初から考えるのではなく、本当に10割を説明できるか検討してみるのだ。

そうすると**現実は複雑な要因がからみあっている**とわかる。その**複雑な多数の要因を解決しなければ実務的には業績は改善していかない**。改善は難儀な道だが、少なくとも、たった一つの原因を潰せば解決すると思い込むよりマシだ。

きっとその態度がテレビでは受け入れられなくても。

▼単純な理由だけで企業の業績の説明はできないので、
つねに原因を細分化して考える癖をつけよう。

10 「都会から有名人が輩出される」は本当か?

▼野心が爆発するのは、届きそうで届かない距離感

思い込み

- 人もメディアも多い都会が有名人を輩出する率が高い
- 日照時間の少なさが秋田美人など「美人県」をつくる

実際は

- 大都市を有する都府県のまわりから有名人が輩出される率は高い
- 日照時間と美人県には相関がない

秋田美人、博多美人は本当か

あるテレビ番組の収録中。突然、ある方が、「秋田美人って本当だろうか」と疑問を呈した。なんの文脈もなかった。しかし、出演者の意見が面白かった。

「その昔、美人だけが特定の地方に連れ去られた可能性がある」

「農作とかに関係あるのでは？」

「都市伝説でしょう」

「いや、やっぱり日照時間でしょう。日に当たる時間が少ないから肌がきれいに保てる」

たしかに、よく秋田美人の理由として、日照時間の少なさが注目される。これは嘘ではなく、秋田県の日照時間は少ない。ただ、秋田だけが日照時間が少ないわけではない。もっと少ない県がある。さらに、秋田県の日照時間の少なさは、近隣県と比べるとほぼ誤差の範囲といっていい（図61）。

日照時間が理由ならば、山形美人、岩手美人、また意外なところでいうと、沖縄美人といったフレーズもなければならない。なお、三大美人といわれる秋田、福岡、京都、それぞれの順位を見ても、日照時間となんら相関性をみてとれない。

図61●都道府県毎の年間日照時間

ランキング	都道府県	日照時間（年間）	ランキング	都道府県	日照時間（年間）
47	山形県	1,556	23	千葉県	2,054
46	秋田県	1,600	21	福岡県	2,069
45	岩手県	1,640	21	熊本県	2,069
44	新潟県	1,643	20	大分県	2,070
43	沖縄県	1,646	19	愛媛県	2,073
42	青森県	1,660	18	広島県	2,098
41	富山県	1,737	17	岡山県	2,130
40	福井県	1,764	16	茨城県	2,145
39	福島県	1,777	15	神奈川県	2,175
38	北海道	1,820	14	岐阜県	2,178
37	鳥取県	1,829	13	香川県	2,179
36	石川県	1,850	12	三重県	2,181
35	島根県	1,852	11	大阪府	2,185
34	京都府	1,873	10	兵庫県	2,195
33	奈良県	1,891	9	和歌山県	2,205
32	宮城県	1,910	8	高知県	2,218
31	長崎県	1,932	7	愛知県	2,221
30	滋賀県	1,935	6	宮崎県	2,224
29	長野県	1,976	5	群馬県	2,247
28	山口県	1,989	4	徳島県	2,259
27	鹿児島県	2,027	3	埼玉県	2,295
25	栃木県	2,035	2	静岡県	2,325
25	佐賀県	2,035	1	山梨県	2,357
24	東京都	2,051			

また、少なくとも、下位五つの山梨県・静岡県・埼玉県・徳島県・群馬県が「美人でない女性が多い」とはいえないだろう。これは個人的な見解でもある。美人率など、どの都道府県も変わらない。

さらに加えていえば、少なくとも、白い肌の女性だけが〝美人〟とはもはや時代錯誤というべきかもしれない。

舞台をテレビ番組の収録場面に戻す。

私がもっとも興味深かったのは、次の意見だ。

「美人といわれているから、自信があるんでしょう。それが美意識の高さに通じて、身なりなどに気を遣うようになって、美人に見える」

なるほど、と思った。本当に一部の県に美人が集中していると私は感じていない。しかし、この意見は半分本当だ。というのは、美人が多い、というフレーズはそもそも各地が観光客誘致等のためにつくった、マーケティング手法だったと知られている。美人が固まっている説は、ある種、地方活性化のためのキャッチフレーズだ。

ただ、それでもなお、秋田、福岡、京都が美人の産地だと信じるひともいるだろう。それが本当なのだとしたら、「美人といわれているから、自信ができて、美人に見える」側面があるのだろう。

どの都道府県にいるかという地理的な事実そのものが、個人に与える影響は少なくないのではないかと私は思う。そこで、私の興味は次に移った。美人ではなく、有名人はどのような都道府県に多いのだろうか、と。

宗教がなくなり有名人ビジネスが生まれる

現在、オンラインサロンが活発になっている。有名人と触れ合って刺激を受けたり、あるいは、そのサロンメンバーと勉強したり、新たなビジネスを開始したりする。

以前「O to O（オンライン・トゥ・オフライン）」という言葉が流行したように、ネットだけで完結するのではなく、やはり直に触れ合う機会を人間は欲しているらしい。

思うに、「これが正しい」とか「これが善だ」といった尺度は、もはや人間を動かす動機になっていない。これからひとを動かすのは、「これを信じてみたい」という衝動に似た心の揺れだから、有名人に人びとが集うのは必然なのかもしれない。

私は、拙著『未来の稼ぎ方』のなかで、これからは「人」そのものがビジネスになるのではないかと書いた。家計調査によると、信仰・祭祀費の支出額はこの20年ほど減り続けている。さらに、宗教法人の数も、信者の数も減り続けている。既存の宗教が掬《すく》い上げてくれない、日常の困りごとは、オンラインサロンなら同志とともに解決できるかもしれない。

実際の宗教は訴求性を失いつつある。いっぽうで、かわりに有名人が主宰するオンラインサロンが訴求性をあげている。皮肉ではなく、「宗教ビジネス」の主体が、既存宗教から有名人へと変わりつつあるのだ。

有名人輩出都道府県はどこか

そこで、前述の問題意識から、有名人を多く輩出する都道府県を調べたいと思った。有名人が活躍するのは、たいていの場合、東京や大阪などの大都市だ。ちなみに私は佐賀県の出身で高校までを過ごした。そのとき泉麻人さんのエッセイを愛読していた。氏は東京都出身で、慶應義塾大学卒業。知的でスマート。ああいうひとが、当時、私のなかでの有名人だった。

ただ、文化人だけが有名人ではない。多くの有名人は大都市の出身か、それとも地方出身か。まず有名人の定義からはじめなければならない。美人の定義は個々人によるかもしれない。もしかすると、有名人もそうだろうか。そこで大胆に、Wikipediaに個別ページがある人を有名人と定義した。Wikipediaが、大衆が注目している方々のデータベースであるのは違いない。

政府の統計データ（「人口動態調査」）が存在するため、１９３５年から２０１５年までの期間で、各都道府県の出生数は把握できる。各都道府県出身の有名人数を、誕生年の各都道府県における出生数で割れば、有名人になった〞率〞を計算できる。

なお、Wikipediaに載る犯罪者もいる。だから、単純に出身の都道府県で抽出するのは乱暴という主張はありうるだろう。ただ、犯罪者の絶対数から考えて、あえて考慮しなかった。

さっそく、結果をご紹介したい（図62）。

グレーで塗っているのが、トップ10の都道府県だ。数字の意味は、出生数のうちWikipediaに載る比率だ。たとえば、０・０３％だったら、１万人に３人しか載らない。その意味では、けっこうな高倍率（?・）といえる。

図62●出身都道府県別のWikipedia掲載率

都道府県	Wikipedia 掲載率	都道府県	Wikipedia 掲載率
北海道	0.044%	滋賀県	0.052%
青森県	0.035%	京都府	0.053%
岩手県	0.041%	大阪府	0.043%
宮城県	0.027%	兵庫県	0.044%
秋田県	0.049%	奈良県	0.058%
山形県	0.040%	和歌山県	0.046%
福島県	0.031%	鳥取県	0.042%
茨城県	0.033%	島根県	0.039%
栃木県	0.038%	岡山県	0.038%
群馬県	0.053%	広島県	0.041%
埼玉県	0.053%	山口県	0.046%
千葉県	0.058%	徳島県	0.048%
東京都	0.030%	香川県	0.045%
神奈川県	0.056%	愛媛県	0.052%
新潟県	0.027%	高知県	0.049%
富山県	0.048%	福岡県	0.038%
石川県	0.045%	佐賀県	0.043%
福井県	0.043%	長崎県	0.038%
山梨県	0.057%	熊本県	0.041%
長野県	0.050%	大分県	0.044%
岐阜県	0.040%	宮崎県	0.048%
静岡県	0.036%	鹿児島県	0.044%
愛知県	0.031%	沖縄県	0.076%
三重県	0.042%		

意外なのが、東京、大阪、愛知、福岡がランキング上位にいない点だ。それにたいして、東京近辺の県は素晴らしい（?）率となっている。さらに大阪近辺の、京都や滋賀も善戦している。また、最後に驚くのは、沖縄の率の高さだ。

人間の野心が燃え上がるとき

事実は次のとおりだ。

●東京、大阪、愛知、福岡といった大都市出身者の出生数から見たWikipedia掲載率は低い

●大都市の周辺県のWikipedia掲載率は高い

●例外として沖縄は群を抜いてWikipedia掲載率が高い

ただし、誤解していただきたくないのは、あくまで「率」であることだ。もちろん、絶対数でいえば大都市の輩出数が多いのは当たり前だ。沖縄が高いといったものの、絶対数では他の都道府県レベルにすぎない。

この本では事実を基にする内容を書いてきた。ただ、ここでは私の仮説を述べておきたい。Wikipediaに掲載されるひとたちはメディア関連に登場するケースが多い。そうしたメディアに興味があるひとたちは、すでにメディアのある大都市出身者よりも、その周辺出身者のほうが（あくまで率として）大都市に進出しようとするインセンティブをもつ。ただし、あまりに遠ければ、そもそも目指そうとしないのかもしれない。

私は佐賀県で生まれ、その後に大阪に住んでから転々とし、現在は東京に住んでいる。住む場所によるものの、東京ではメディア人とよく出会う。子どもの学校で知り合った親御さん、酒席、習い事の場。さほどメディアが遠い存在ではない。

私が子どものころ、テレビというメディアはまったくの異世界で、こんなものに出る人間は想像もつかない、といった感じだった。そして多くの子どもたちは大人になっても地元に住み、さらに仲間たちと遊び続ける。しかし、**一部の強烈な熱情を持つ人間たちは、かつて自分が見た風景に逆襲するかのように野心を燃やし、自分の選んだジャンルで伸《の》し上がろうとする。**

その野心は、大都市の周辺部のように「大都市に届きそうで、届かない」状況のとき、さらに炎を大きくするのかもしれない。

それは文化人だけではなく、起業家、アスリート、文筆家、芸能、政治、さまざまにいたる。彼らが大都市に移るかは別問題だ。地方在住のままでも一角《ひとかど》の人物ならば、Wikipediaページが登場する。

たぶん、この瞬間にも、くすぶっている子どもたちが全国にいるに違いない。

▼くすぶっているから将来、活躍できる。

11 「社会貢献したい若者が増えた」は本当か？

▼わかりやすい「やりがい」を求め
仕事を通じた社会貢献意識は希薄

思い込み

- なんとか社会の役に立ちたいと行動する若者が増えている
- 若者が独立するための技術を覚えられる仕事が人気

実際は

- 献血などの明確な社会貢献活動の参加率はむしろ下落している
- 若者は個性や能力を生かせる仕事に就きたがるが、そのための技術を覚えようとする割合は低い

お前、それは違うだろ問題

以前、聞いた話で衝撃的だったのは、就職面接で「20年後にどうなっていたいか」という質問に「幸せな家族をつくっていたい」と答える大学生が増えてきた、と企業人が教えてくれたことだ。

普通の感覚であれば「会社員として」と前置きを質問につけずともわかるはずだ。だって、面接の場面なんだもん。あるいは「ありがとう、と、言い合える家族」と答える大学生もいたそうだ。そりゃ、仕事で稼いだあとに勝手にしろよ、と思うのは私が40代だからだろうか。

または「社会に貢献できるような人間になりたい」というのもあるらしい。「おいおい、まずは会社に貢献できるようになれよ」と思う面接官もいるとは思う。しかし、社会貢献がこれほど強調される時代においては、当たり前の回答なのかもしれない。

学生は「とにかく、私を雇ったら稼いでみせますよ」といえないのだろうか。あるいは、いうことができない社会的なプレッシャーを受けているのだろうか。ほとんどの学生はちゃんとしている。馬鹿というよりは、素直なだけかもしれない。

手探りが続く企業の社会貢献

企業の社会的責任といったキーワードが流行している。また、持続可能社会という観点では自然環境に配慮する企業こそが、これからの求められる存在であるとする。

これまでのように、手段を選ばずに利益をあげるだけではダメ。顧客、地域社会や社員だけではなく、取引先をも含めた活動全体に配慮せねばならない。グローバル企業であるアップルやナイキの2社はとくに熱心なことで有名である。

たとえば、アップルは「サプライヤー・レスポンシビリティー」というレポートを定期的に発表している。これは取引先の労務環境改善を含む、アップルに関わる全員が幸せになるような活動を紹介するものだ。

ナイキは1997年に不買運動を経験している。ナイキの仕事を請け負う海外の工場で児童強制労働や長時間勤務が明らかになったからだ。また、中国にある某工場で生産されたジーンズのポケットからは、「私たちは搾取されていますから助けてください」と書いたメモがEUで見つかった。この中国の某工場は、ハイブランドの下請工場だった。

自社だけではなく取引先にたいしても、高い社会性を求める必要がある。自社の範囲をこえて、すべての取引条件をより良いものにしなければならない。不買運動を防ぐといった実利的な意味もあって、各社は取引先の従業員も含めて労働条件の向上に努めてきた。

もっとも、大半の企業の現場では何をどこまでやっていいのか混乱が続いている。取引先と真摯に接するのは当然として、取引先がさらに下の孫受けとも適正な条件で取引をしているかまでを調べるのか。何をもって適正とするか。どのように調査するか。手探りの状態だ。さらに取引先が反社会勢力とつながりがあるかも調べなければならない。

就職の面接で「社会貢献したい」と答えるのは正しいか？

ただ、より良い社会を目指すための運動だから、反対するひともいない。反対する理屈もない。なにより、劣悪な環境で苦しむ人びとが少なくなるのは誰にとっても望ましい。

会社が社会貢献を喧伝《けんでん》するようになった。そして社会人たちも社会貢献を口にするようになった。もちろん、会社が社会貢献をアピールするので、それを嗅ぎ取った就職活動中の学生たちもあわせて社会貢献をいいだしたのかもしれない。

ただ、これは統計うんぬんの話ではなく、あくまで実感としても、就活中の学生で「社会に役立つことがしたい」と答えるひとが多くなったように思う。もちろん最終目的としてはそうだろうが、面接で将来の夢を訊かれたときに、社会貢献というのは違和感がある。

その企業の製品やサービスを広めたい、というのが先ではないだろうか。また自分ができる範囲のことを一生懸命やるのが一番の社会貢献ではないだろうか。

いつでもできる献血は人気がない

もちろん反社会勢力などの例外もあるものの、基本的に会社は社会に役立つ商品を売って利益を稼がなければ存続できないようになっている。そして法人税を払う。個人も同じで所得税を払って社会に貢献する。

私は知人から何度かボランティアに誘われて一度だけ参加した。災害地にあふれる泥をすくって撤去した。私はまったく役に立たなかった。単なる足手まといだった。

いろいろな調査を見ると、ボランティアなどの活動は、社会に役立つだけではなく、個人のキャリアにもいい影響を与えていると結論づ

図63●個人の社会貢献活動

	1986年	2016年
社会の役に立ちたい人の割合	47.0%	65.0%
ボランティア活動者の割合	25.2%	26.0%

図64●献血者の人口に占める率

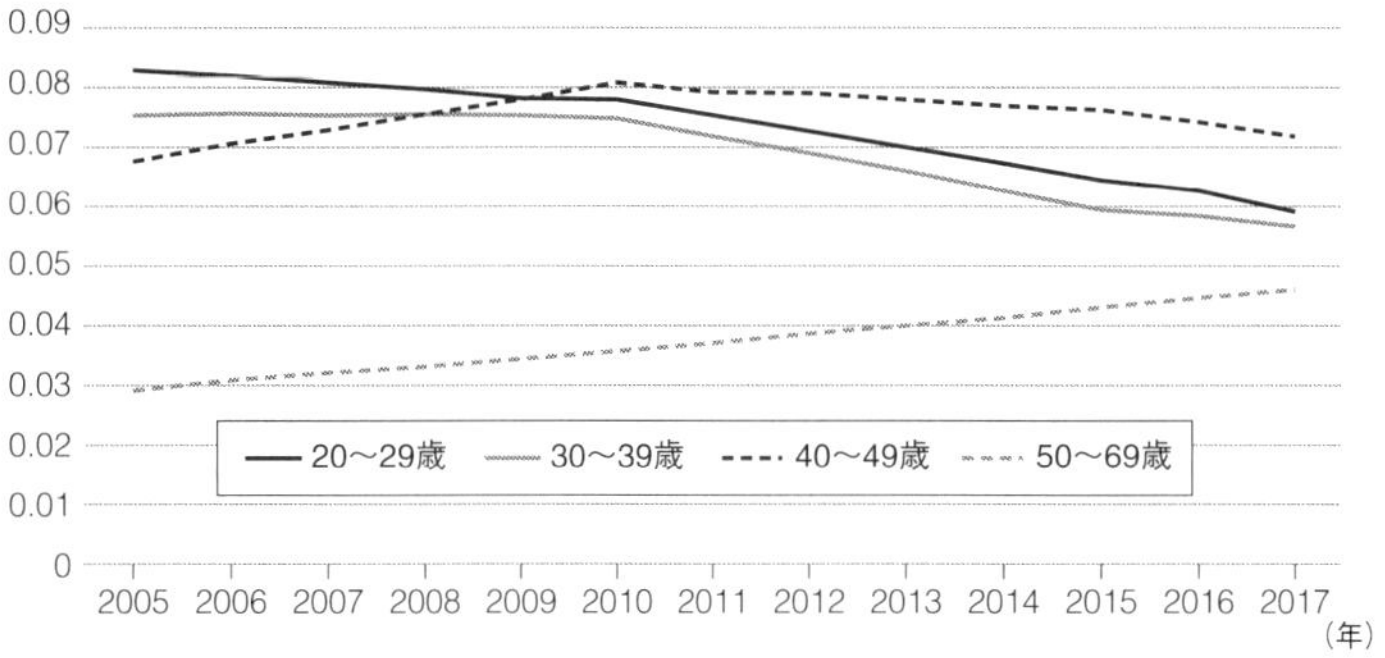

けている。だから否定するつもりはないどころか、もっとさかんになっていい。実際に社会に役立ちたいと思ったり、ボランティア活動に勤《いそ》しんだりする比率は伸びている（図63）。

逆に情報発信や納税による社会貢献を選択してもいい。外形ではなく、社会貢献の精神がボランティアの起点なのではないだろうか。

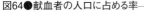

しかしそれにしても、これだけ「社会の役に立ちたい」というひとが増えているにもかかわらず、不思議なことに、若者の人口に占める献血者の率は下がり続けている（図64）。献血は社会貢献のさいたるものだ。血液を待っているひとは年じゅういるのだ。さらに、いつでも、どこでも献血は可能だ。それなのに減っている。

むしろ、50代から60代が上昇を見せている。これは1999年から年齢の上限が64歳から69歳になり認知が広がってきたのがあるだろう。また、年長者のほうが献血の大事さを、身をもって知っているのかもしれない。

日本人の意識は変わった。しかも、非常に興味深く変化していると私は思う。そして、支援と被支援の関係性がすぐにわかる支援に移行している。これは批判ではない。あくまで自分を中心とした、自分のやりがい。その、わかりやすい関係性を求めているのだろう。

技術は覚えたくないけど、能力を生かしたい若者たち

たとえば、このようなデータを見てみよう（図65〜68）。これらは新社会人に質問したものだ。自分のキャリアプランに反する仕事なんてやりたくないと回答した率は上昇傾向にある。私は、会社が事業で利益を上げるなら、それこそ社会貢献だと思うのだが、そのようにはいかないらしい。

さらには残業したくないという率も増加している。このところ、**徹底的に働いて、自分のスキルを磨くという考え方は、もはや老害どころかパワハラのように思われている。**だからそうしたいなら、自営業者か独立起業家になるしかない。

私は、イノベーションや革新的なサービス創出には、狂気にも似た熱意と、長時間労働が必要だと思っている。だからやや予言的にいうと、もはや日本の大企業からそのようなサービス

図65●自分のキャリアプランに反する仕事を我慢して続けるのは無意味だ

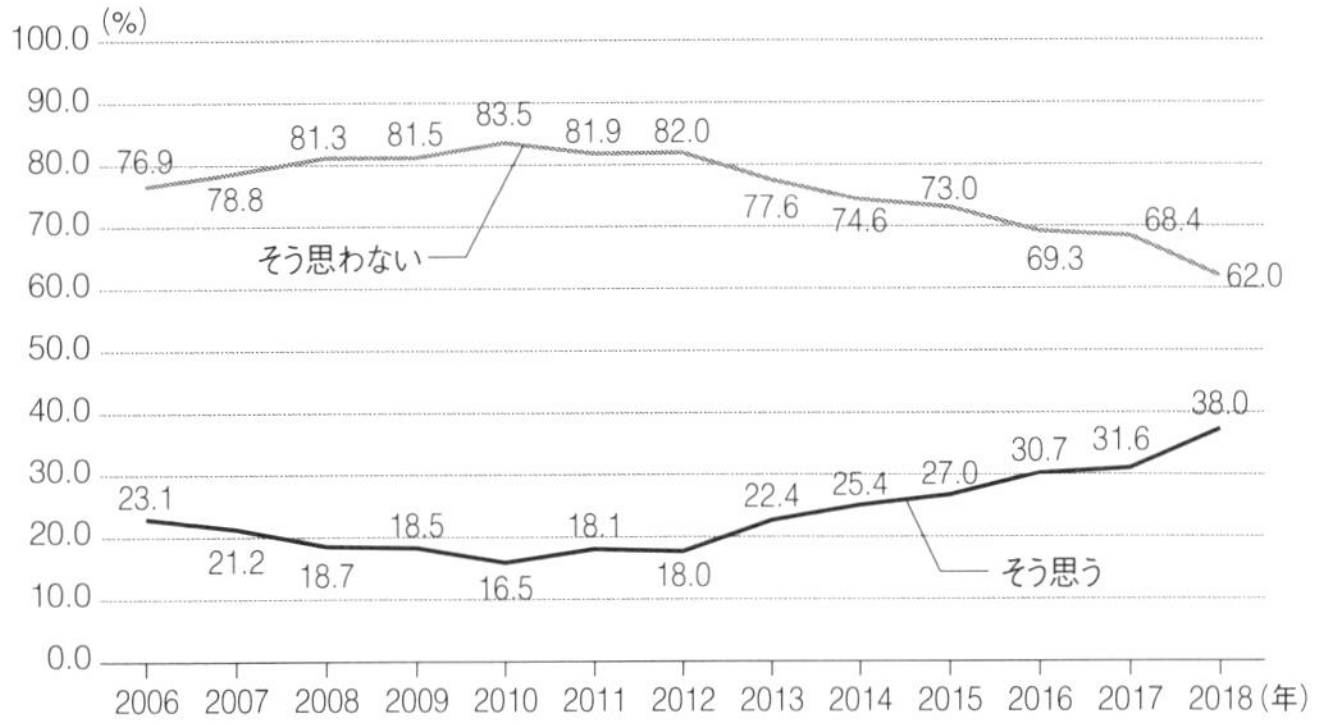

は出にくくなるだろう。海外か国内のベンチャーを買収するしかないだろう。そして、傾向として実際にそうなっている。

さらに興味深いのは、これらが新入社員に質問している点だ。私は明確なキャリアプランなどもたず、ひたすら仕事をするなかで、まったく自分が得意と思わなかった領域（コンサルティング、データ解析、講演、原稿執筆）で認められ現在にいたる。仕事をはじめて間もないのにキャリアプランに反する仕事が「無意味」とまでいえる若者が羨ましくもある。

しかも、別の質問では、「残業が多いがキャリア・能力が高められる職場」よりも「残業が少なく自分の時間を持てる職場」がいいと答えており面白い（図66）。

ただ、ほぼ一貫して、**会社選択の理由としては「能力・個性が生かせる」が上昇傾向にある**（図67）。**「仕事が面白い」が上位にあるのは素晴らしいとして**

図66●残業について

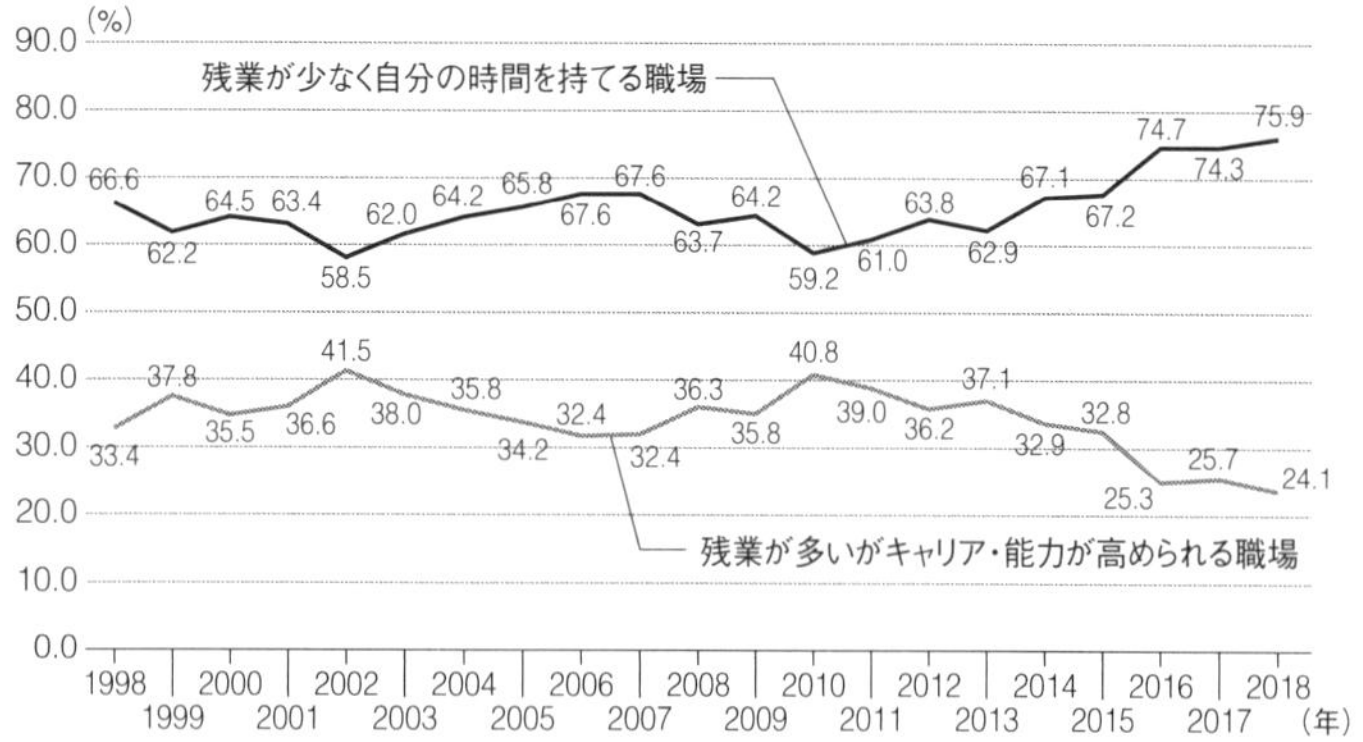

も、「技術が覚えられる」があまりに低水準にあるのは興味深い（図67）。

しかし、これほど個人を大切にしてみても、私が奇妙に感じるのは、定番の「デートか残業か」といった質問だ（図68）。

この調査を担当する日本生産性本部は、近年「残業」を選ぶ率の減少傾向を指摘しているが、平成はじめにはもっと低かったわけで、全体的な横ばいとしか判断できない。平成のはじめに回答した層はいまごろ部長か課長あたりになっているだろう。彼らといまどきの新入社員は同じ程度だったともいえる。

しかし、これほど個が尊重される時代なのだから、もっと劇的に「デートよりも残業を選ぶ」とする回答が下がってもいい。そこで私が注目するのは、先ほどの「わかりやすい関係」だ。あるいは目に見える関係性といってもいいかもしれない。

図67●会社の選択理由(主な項目の経年変化)

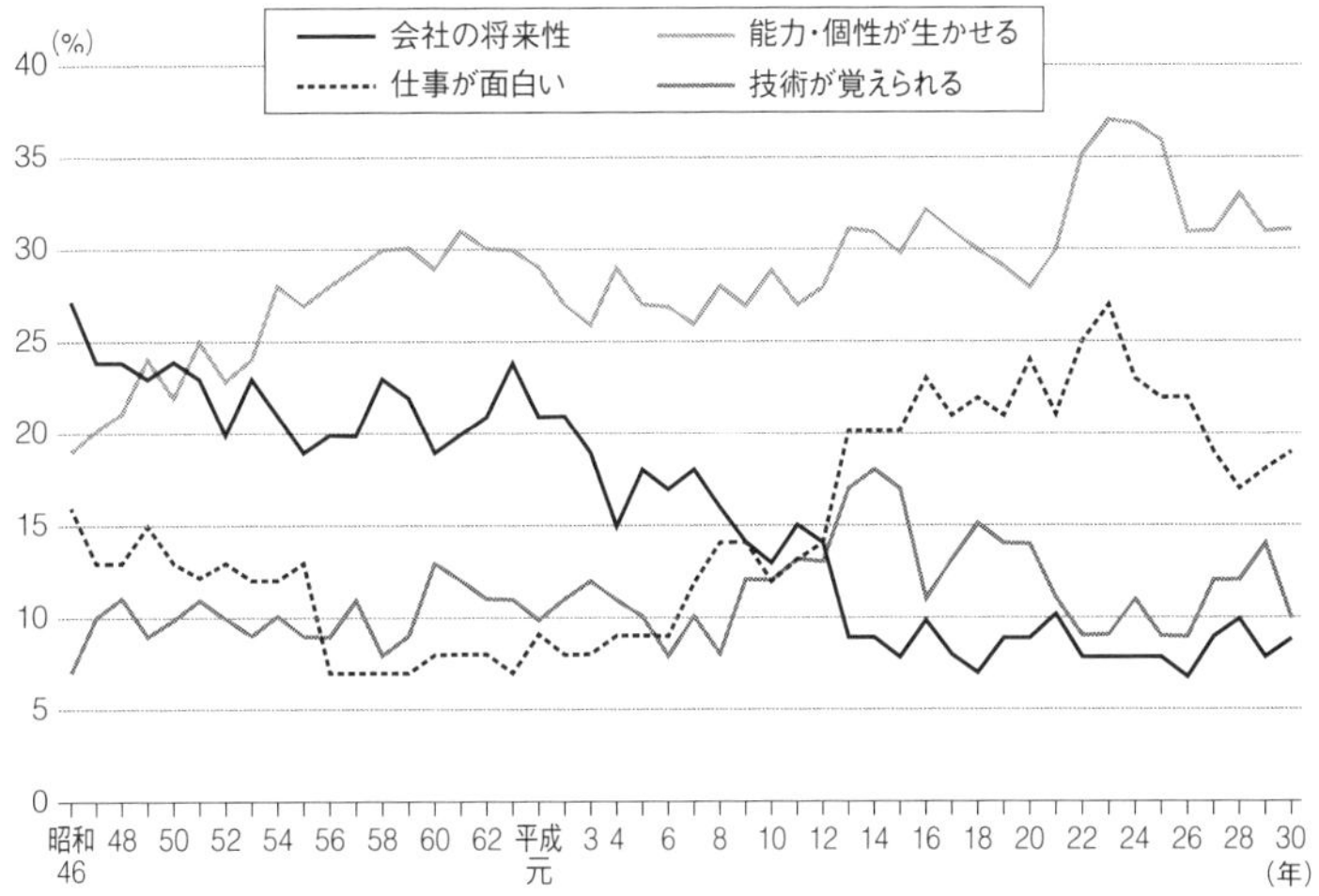

図68●デートか残業か(経年変化)

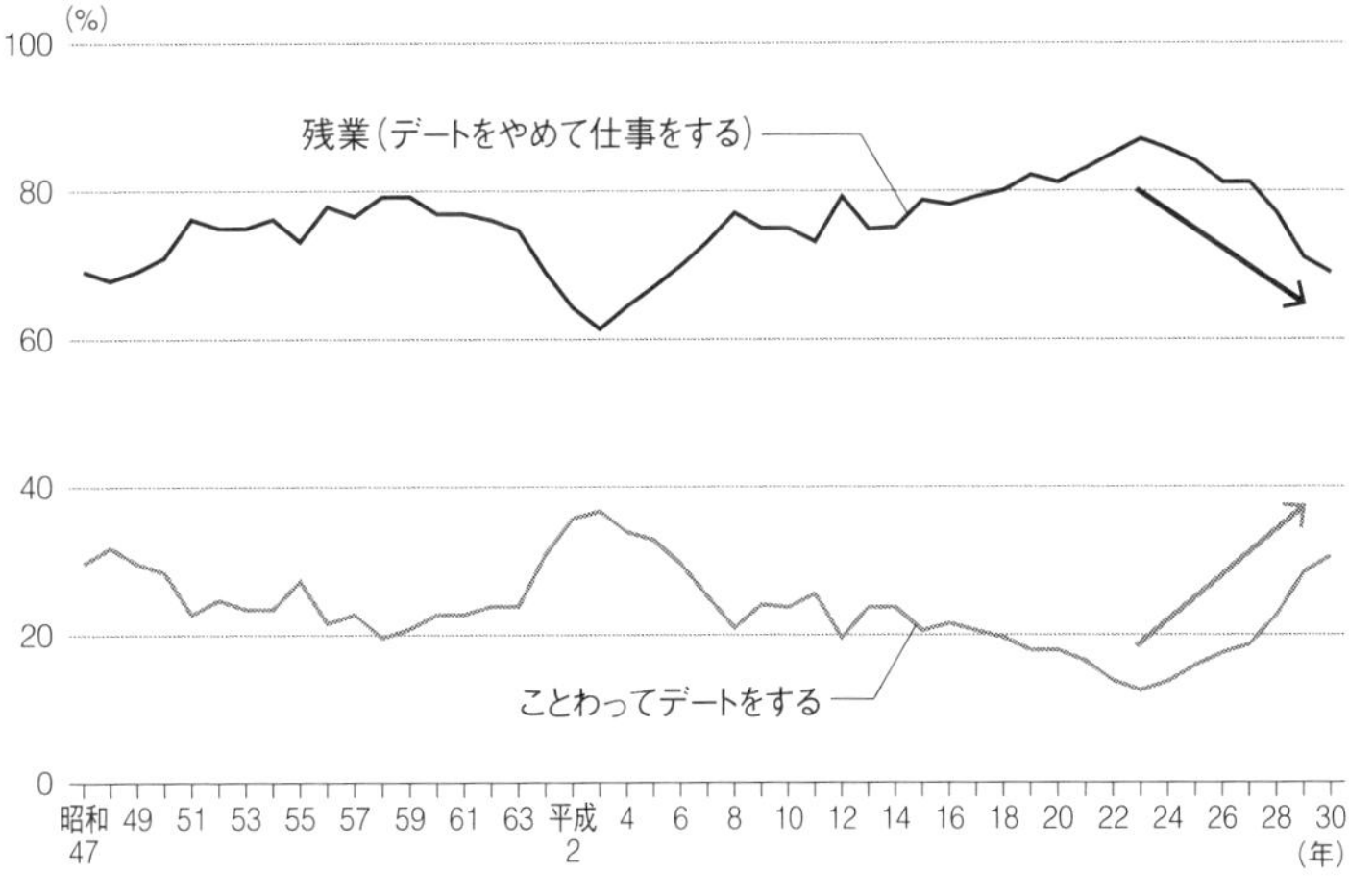

職場は関係性がわかりやすい。同僚、上司、部下。こういった関係者と飲みに行くのは、あまり断らない。コミュニケーションの一環だと考えている。優しくなったといってもいいかもしれない。

この観点から、「退職代行サービス」の流行を見ると面白い。職場での人間関係を大切にしたい。だから飲み会にも行く。ただ、辞めるとはいえない。相手が困る顔を見たくない（結果的には、より迷惑をかけることになるだろうが）。

若手が望む仕事とは、希望をあげればこうなる。

- ●社会貢献ができて
- ●自分のキャリアプランに沿っていて
- ●残業は少なく
- ●能力・個性が生かせる職場

ははは。笑うところではなかった。この文章を読んでいる方々の年齢や地位によっても捉えかたが違うだろう。「何が悪いんだ」と思う若手もいるだろう。また、「こういう若者と接しなければならないのか」と感じる管理職もいるだろう。それだけ平和になったわけで、積極的に受け入れる現状なのだと私は思う。

納税も社会貢献、偽善も社会貢献

私は社会貢献といったキーワードから、この章をはじめた。しかし、繰り返すとおり、私はボランティア活動自体を否定したくない。たまに、ボランティアを偽善と批判する人がいる。しかし、偽善で良い。思うに、偽善とは異常なほど奇妙な言葉だ。善いことをして、良くない、とはありうるのだろうか。表面的であれ、本当の気持ちがどうであれ、善いことをしたのであれば、それは認めるべきではないか。

たとえば、被災者と支援者がいる。

支援者は被災者の気持ちを完全に忖度できない。支援者の援助はときに偽善的かもしれない。ただ、たとえ偽善であっても、表面的な優しさであっても、行動として少しでも被災地を助けられれば、援助するという一点のみで、それは許されるべきだ。これは援助する側の自己満足といわれるかもしれない。ただし、事実、阪神・淡路大震災のときも、無数の援助が復興を支えてきた。そこに偽善の有無を問う意味はない。

私はいくつかの遠回りをしながら一つの結論に辿りついた。たとえ偽善であれ、被災地以外の人びとは被災地に継続した支援を忘れてはいけない。偽善と思われてもいい。

ただ、同時に重要なことなのだが、偽善を貫くには大変な努力が要る。偽善であっても、社会に役立つためには、かなりの能力や金銭的な負担が必要だ。それよりも、**凡人は本業で働いて納税したほうがいい。納税の額が多くなくても、少なくとも本業で社会に貢献したほうがいい。**もちろん何を選ぶかは個人の自由だ。

▼安易に「社会に役立ちたい」
「自分の個性を生かしたい」と叫ぶのは無意味。

12「日本企業が閉鎖的」は本当か？

▼日本企業は意外なほどオープンに外部と協力してきたし、イノベーションも起きている

思い込み

- 日本企業は閉鎖的だ
- 日本だけイノベーションが起きていない
- 日本には閉塞感がただよっている

実際は

- 日本企業はオープンすぎるといってもいい。日本企業は外部企業の力を活用してきた
- 日本だけイノベーションが起きていないわけではない
- 国に閉塞感を抱くのは自分が挑戦していないから

かつて日本企業の職場には多くの人が出入りしていた

私は会社員だったころ、電機メーカーに勤めていた。調達部門に属していたのは前述したとおりだ。私は、日々、社内から部材の伝票発行の依頼を受け、発注先を決めては入力を繰り返していた。納期ギリギリで、いますぐに発注しなければならないものばかりだった。しかし価格は決まっていない。電話では埒《らち》が明かずに、先方に出向いたり、お越しいただいたりしてお願いした。

交渉をはじめようとしても、会議室や商談スペースが埋まっている。そんなとき、じゃあオフィスの机でやりましょう、といった機会が多々あった。私が出向いたときも、来てもらったときも。近くにある外出中の社員の椅子を借り、その場で侃々諤々《かんかんがくがく》の交渉をした。思うに、外部の人間が見るのはふさわしくない書類もあっただろうし、あるいは、聞こえてはいけない会話もあっただろう。牧歌的な時代ゆえともいえる。

目を隣にやると、そこには部長にわざわざ挨拶にやってきた取引先の姿もあった。「近くに納品があったので、ついでにやってきました」と、あのころはアポイントもなく、ふらっと外部からの人間がやってきて、そのまま雑談に花を咲かせることも頻繁だった。土曜日になるごとに幹部連中は取引先とゴルフに繰り出し、社内の秘密事項もざっくばらんに意見を交換する。

その後、私は自動車メーカーの研究所で勤務した。そのときに驚いたのは、外部の取引先があまりに多いことだった。「名札の色が違うひとは、ゲストのエンジニアです」と教えてもらった。他部門と打ち合わせのつもりで会議室に出向くと、そのゲストエンジニアのみがやってきて、設計やコストの話をした。

社員食堂にいくと、自社の社員と取引先が設計図を広げながら昼食をとっている。これはいまでもありふれた光景だ。

日本企業は情報を多くの取引先と共有してきた

その後、私が会社員を辞めてしばらくすると、「日本企業は閉鎖的だ」「これから必要なのはオープン・イノベーションだ」といった論が聞こえてきた。日本企業は内部だけで凝り固まっており新たな発想が出てこない。だから、外からアイディアや刺激を求めるべきだ、と声高に叫ばれた。オープン・イノベーションとは、企業を外部に開くことによって、どんどん独創的な発意を取り込むことだ。

しかし、私はかなり違和感を抱いた。それは私の原体験による。むしろ、日本企業は外に向かって開かれすぎていたのではないか、と感じていた。現在では、情報管理、機密保持の観点から、前項の例ほど外部の人間への開放は見られない。

「いやいや、そういうオフィスに入れていたっていう話じゃなくて、外部の力を活用していたかっていう話だろ」とつっこまれるかもしれない。ただ、たとえば、先行研究によっても（延岡健太郎さん「オープン・イノベーションの陥穽」）、日本企業はむしろ外部の力を活用してきたとわかる。自動車産業の例でいえば、90年代などでは日本は、部品を自社で生産する内製率はたったの3割にすぎなかった。残りの7割は外部の企業からの調達によった。

米国では7割、欧州では5割の高い内製率を誇った。欧米の自動車産業は内製の高コストに悩み、そこから外部の力を求めるにいたっている。強引にいえば、日本が先を走っていて、それに追随したといえる。

これは電機メーカーでも同様だ。アップルはｉＰｈｏｎｅなどの生産をＥＭＳ（Electronics Manufacturing Service）と呼ばれる受託生産企業に任せているので有名だ。これも、自前主義ではなく、外部の力を借りる点では、日本企業の真逆ではなく、日本企業の特徴を推し進めた結果ともいえる。

「いやいや、部材を任せたっていう話じゃなく、もっと高度な技術や戦略を共有するっていうのがオープン・イノベーションだろ」と再度つっこまれるかもしれない。しかし、これも私の感覚と異なる。その意味でも開かれている。日本の自動車メーカーが採用するシステムサプライヤ制度は、内装や外装などのトータルを外部と一緒になって創り上げる。そこでは高度な技術内容を共有しなければ開発を実現できない。それに、今後、技術がどのように発展していくか、戦略を共有しなければ難しい。

この文章を自動車メーカーの方が読んでいたら同意いただけると思う。現在、自動車メーカーの設計者は生産の部品図面を書かない。デザインはする。でも、詳細は、部品メーカーに書いてもらっている。ほとんど、部品メーカー任せだ。自動車メーカーと部品メーカーの技術者の仲も非常に良い。むしろ、境界線がないくらいだ。

私が自動車メーカーで勤務しはじめたころに、いくぶん驚いたことがある。それは新車の企画時点で、取引先を集め、構想を説明する。どんなクルマにしたくて、どのような機能をもたせたいか、そしてこれまでのユーザーの不満……。

私は、なんでも公開するんだな、と思った。招待した取引先のなかには、他社の系列企業もいた。やろうと思えば、親会社に企画案を流せる。もっとも機密保持契約を結んでいるので、誰もが情報を流すはずはない。ただ、私が感じたのは、そのオープン性だった。

情報を共有して、取引先とアイディアを共創していく。それがオープン・イノベーションだとすれば、日本企業は進みすぎているといっていい。ちなみに、私はアメリカ人と仕事をしてきたが、これまでアメリカ人から「取引先も儲かるのか」との発言を聞いたことがない。もちろん私の狭い経験ではある。しかしながら日本人の上司からは「そんな安い金額で取引先は大丈夫なのか」とか「取引先の経営のことも考えなさい」と何度もいわれた。

もっと大胆なことをいえば、**欧米では「シナジーとかM＆Aで事業を加速する」といわれているが、むしろ日本企業はそんな言葉を使わずとも同じようなことをやってきたんじゃないか。自社と取引先の境界線を消すことで、真の意味でのオープン・イノベーションを実践してきたのではないか。**

日本企業はメンバーを固定しすぎるから閉鎖的なのか

「いやいや、そうじゃなくて、人間が固定されるのが問題なわけよ」と再びつっこまれるかもしれない。たしかに、私の記憶では、部長がゴルフに行っていたのは協力会と呼ばれる親睦組織の会員たちだった。さらに、自動車メーカーのみならず、固定化した系列企業の存在が指摘される。

合理的な欧米企業にたいして、メンバーを固定する日本企業。ただ、これも会社をつくって、多くの外資系企業と付き合うことによって印象が変わった。たしかに、私の触れ合う限り、外資系企業の幹部たちが、平日の夜に部下や取引先と飲酒する機会は少ないかもしれない。ただ、週末はカクテルパーティーと称して、同じような親睦会を繰り返している。そこに本質的な違いは見当たらなかった。しかし、仕事をする相手が自然に仲が良いひとに固まるのは、日本人だけの特性とは思えない。

それでも「現在ではクラウドソーシングの時代だから、プロジェクトごとにメンバーを集めるべきだ」と語るひとがいる。私はなかなか賛同が難しい。私は、出版社からインタビューを受ける機会がある。その際に、ライターさんが同席する。編集者との関係を訊くと「よく、この手の取材では指名してくれる」という。

なるほど、実際に何回か仕事をして、得意ジャンルがわかる。そして納品物のレベルと、その対価がわかる。人間性もわかる。そのようにして仕事が積み重なっていく。ぱっとインターネットで検索して、そのひとの仕事歴を見たところで、それだけで依頼するはずがない。私が発注先を考える際にも、やはりこれまで仕事を依頼した過去を思い出す。

もしかしたら、簡単な仕事ならば依頼するかもしれない。実際に、会社のロゴマークを刷新する際にはフリーランスの方に依頼しようかと検討した。ただ、その程度のものにとどまるのであれば、オープン・イノベーションなるものとは大きく異なるはずだ。

「フリーランス白書２０１９」は大変に興味深い。「仕事はどのようなところから見つけます

図69●仕事はどのようなところから見つけますか

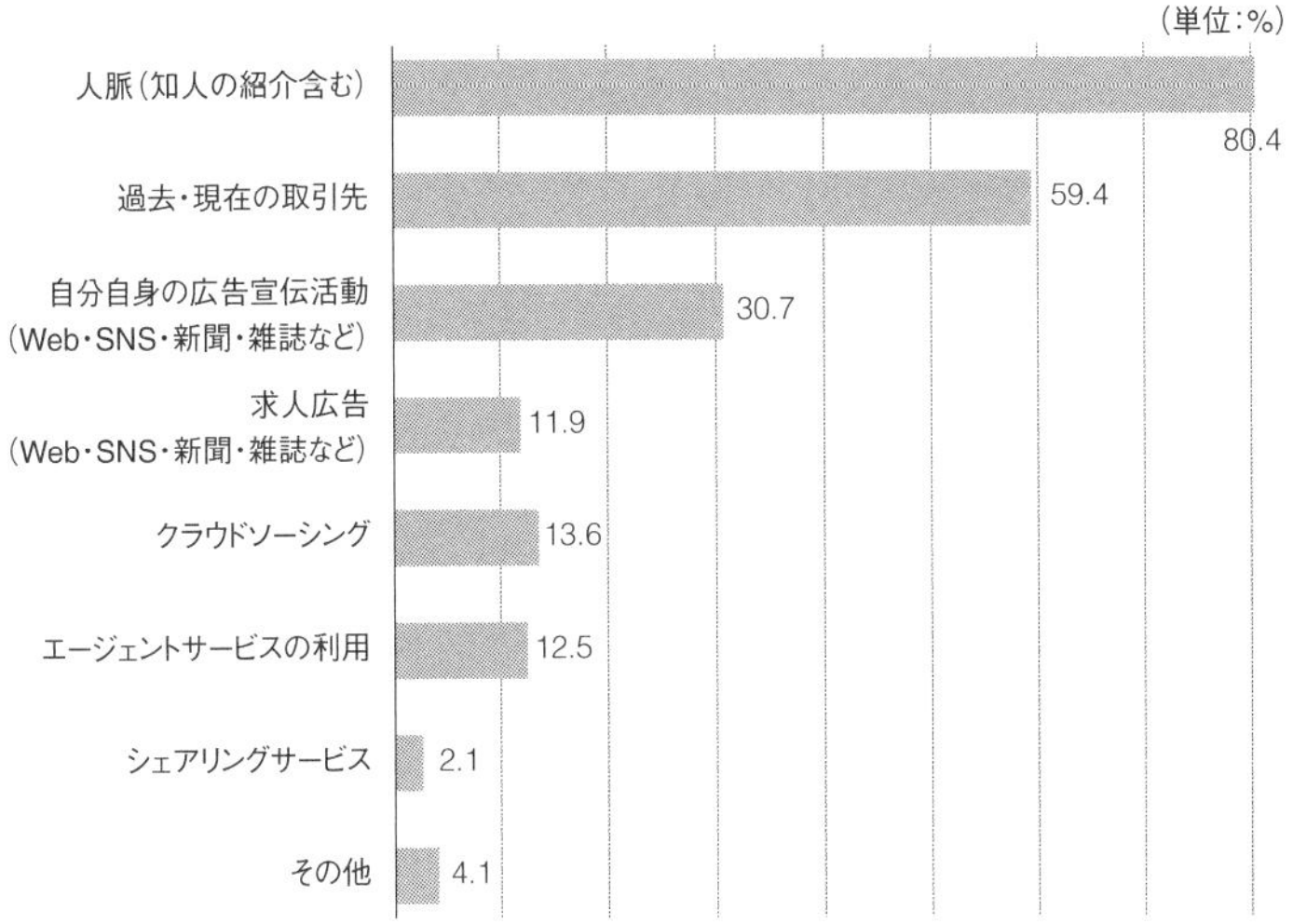

図70●最も収入が得られる仕事はどのようなところから見つけたものですか

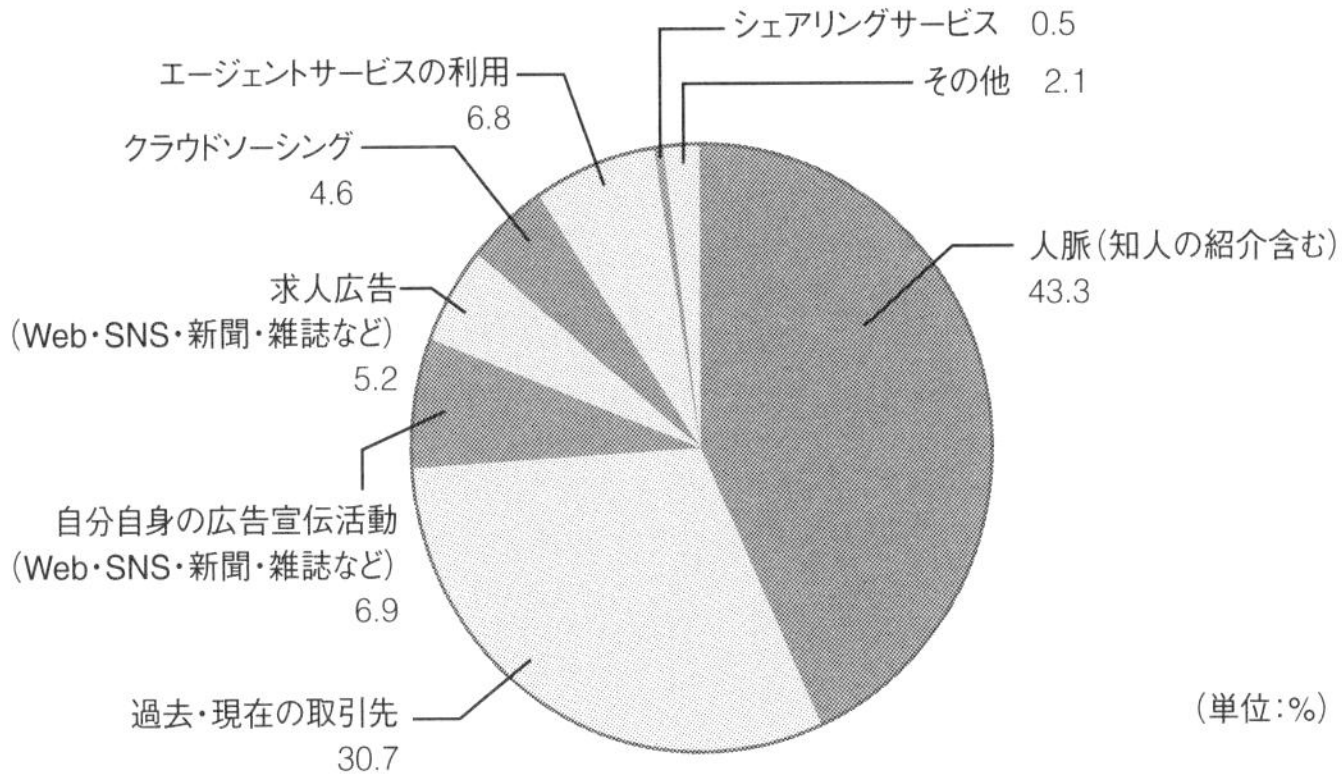

か」と直近1年の状況を訊いた質問には、多くが「人脈」「過去・現在の取引先」と答えている（図69）。

もっとも、クラウドソーシングや、エージェントサービスでも、高額の仕事が舞い込んでくればいい。そこで、さらに、「最も収入が得られる仕事はどのようなところから見つけたものですか」という質問を見てみると、これまたほとんどが「人脈」「過去・現在の取引先」と答えている（図70）。

この調査からは収入は会社員時代とさほど変わらないものの、自由な時間が増え、満足な様子のフリーランス像が伝わってくる。その意味ではフリーランスを否定するものではない。ただ、個人に頼むような、比較的に小さな仕事であっても、受注はたやすくない状況を示したかった。

取引先を固定せざるを得ない状況

また、本題から外れるので多くは書かないが、「オープン・イノベーション」が「無数の取引先との触れ合いのなかから新たなイノベーションを生み出す」意味であれば、それはかなり難しいとの現場での実感を私はもっている。

というのも、現在はコンプライアンスの関係から、取引先企業の素性を深く調査することが求められるからだ。登記簿の調査からはじまって、構成員や関係企業に反社会的勢力がいないか。そして、代表取締役の過去調査。さらには社会保障加入の有無。

その他にも、決算状況や、ＩＳＯ、Ｐマークなどの公的資格制度の取得状況。さらにサイバーセキュリティや、情報機密管理状態。各企業の取引先調査票は、異常なほどの厚みを見せている。さらに、書類調査だけでは虚偽を許してしまうため、実地調査やヒアリングを重ねる必要がある。

世界の多様な企業と連携できていないという批判

「いやいや、オープン・イノベーションのキモは結局のところ、Ｍ＆Ａ（企業買収）なんだよ」というひとがいる。日本は、この点で、世界から多様な技術を集めるのに遅れている、と。

私にはやや奇妙に感じられる。日本企業が外資系から買収される際には、あたかも「日の丸企業がハゲタカから買収された」といういっぽうで、日本企業が外資系企業を買収するのは良いらしいのだ。しかしそれは、日本人は利益だけを追求せず、社会に役立つことを第一とするという矜持かもしれない。

図71●世界の国・地域別クロスボーダーM&A(2018年)

買収国・地域		金額(100万ドル)	伸び率(%)	構成比(%)	件数
	米国	382,514	69.5	28.1	2,264
	EU	509,381	41.6	37.5	4,262
	英国	125,530	△21.9	9.2	1,028
	フランス	122,649	122.9	9.0	620
	ドイツ	89,752	84.4	6.6	511
	スイス	47,619	97.4	3.5	341
	オーストラリア	18,181	△9.4	1.3	243
	日本	67,457	△23.8	5.0	606
	東アジア	147,001	△42.0	10.8	1,430
	中国	90,910	△44.4	6.7	492
	香港	23,552	△45.7	1.7	336
	ASEAN	21,092	△22.6	1.6	454
	シンガポール	12,846	△39.4	0.9	300
	インド	2,625	△14.0	0.2	123
	ロシア	436	△97.0	0.0	22
	ブラジル	1,687	△43.5	0.1	26
	南アフリカ共和国	5,841	△0.0	0.4	82

海外の企業を買収するのを「クロスボーダーM&A」と呼ぶ。

2018年のデータ(図71)を見ると、日本は675億ドルほどとなっている。たしかに、米国の3825億ドルにはいたらない。しかし、ここから、日本だけがM&Aで遅れている、という結論は導けそうにない。世界に200弱ある国々のなかで、どう考えても、上位に入っているとしか読めない。

ちなみに同じ2018年、日本への対内直接投資99億ドルにたいして、対外直接投資は1305億ドルにいたっている(図72・73)。ここを見ても、私は日本が内向きだとは、なかなか判断できない。

アジアだけではなく、北米、そしてEU圏にも多額の投資をしているとわかる。

図72●2018年の主要国・地域の対内直接投資（ネット、フロー）

		金額（100万ドル）	伸び率（%）	構成比（%）	寄与度（%）
先進国	米国	251,814	△9.2	19.4	△1.7
	カナダ	39,625	59.6	3.1	1.0
	EU	277,640	△18.5	21.4	4.2
	オランダ	69,659	19.7	5.4	0.8
	英国	64,487	△36.3	5.0	△2.5
	スペイン	43,591	108.4	3.4	1.5
	フランス	37,294	25.1	2.9	0.5
	ドイツ	25,706	△30.4	2.0	△0.7
	スイス	△87,212	-	-	△8.4
	オーストラリア	60,438	42.9	4.7	1.2
	日本	9,858	△5.5	0.8	△0.0

図73●日本の国・地域別対外直接投資（ネット、フロー）

	2017年（100万ドル）	2018年（100万ドル）	構成比	伸び率	2019年1～5月（P）（100万ドル）	構成比	伸び率
アジア	40,905	52,574	33.0	28.5	24,923	19.0	45.5
中国	11,122	10,755	6.8	△3.3	5,929	4.5	62.5
韓国	1,840	4,807	3.0	161.3	888	0.7	△14.9
ASEAN	22,330	29,754	18.7	33.2	15,044	11.5	53.6
シンガポール	9,478	15,909	10.0	67.8	3,136	2.4	△37.2
タイ	4,917	6,582	4.1	33.9	1,898	1.4	28.7
インドネシア	3,622	3,255	2.0	△10.1	5,918	4.5	421.7
マレーシア	909	770	0.5	△15.3	2,483	1.9	-
フィリピン	1,098	989	0.6	△10.0	553	0.4	110.1
ベトナム	2,014	1,841	1.2	△8.6	907	0.7	2.1
インド	1,500	3,218	2.0	114.5	1,830	1.4	15.2
北米	50,426	24,070	15.1	△52.3	28,152	21.4	19489.9
米国	49,601	21,570	13.6	△56.5	26,187	19.9	-
欧州	61,663	53,865	33.8	△12.6	73,676	56.1	220.5
EU	58,904	49,313	31.0	△16.3	12,033	9.2	△42.1
英国	22,328	21,437	13.5	△4.0	292	0.2	△97.7
オランダ	19,683	9,316	5.9	△52.7	2,887	2.2	△15.9

なぜ日本のみイノベーションが生まれないのか

　ところで、前述までを見たうえで、日本ではイノベーションが生まれない理由について私見を述べたい。官僚的な産業システム、既得権益者の跋扈《ばっこ》、ITではなく建設業のようなハコモノで経済を牽引しようとする状況、さらには少子高齢化……を挙げ、日本だけが世界から取り残されていると悲観する声が大きい。

　先日、中国人の機関投資家と食事をする機会があった。話はさまざまな方面に拡散した。私もかなり酔っていたが、彼が**「なぜ日本人は自国の将来にそれほど悲観的なのかわからない」と繰り返した**のを覚えている。**彼から見ると、環境も国民性も素晴らしく感じるらしい。**「そんなことはありません、日本は大変で」と語る自分自身が虚しく思えた。

　しかし、それでも「なぜ日本にだけはイノベーションが生まれないのか」という問いには答えられないとも感じた。そこでさまざまなデータを調べる過程で、私は一つの要因があると理解した。

　まず「イノベーション」の定義が不明である点だ。もちろん技術革新といった訳語はある。ただ、たとえば、「企画書を眺める部長の眉の動きを見れば、その採用可否が推測できるので、部長が口を開く前から結果がわかるようになった」レベルをイノベーションと呼ぶのであれば、そこらじゅうで起きているだろう。そもそも、ｉＰｈｏｎｅレベルでなければイノベーションと呼ばないのか。論文を見ても、あるいは、イノベーションを叫ぶひとに訊いても、その定義は統一されていない。

たとえばよく使われるＧＤＰにたいする投資額について、日本はかなり高いことが知られている。２０１５年の例では、ドイツや米国よりも高く、先進国のなかでは韓国に次ぐ。

ＯＥＣＤのデータを引用したイノベーションランキング結果も目立つが、残念ながら信頼に足るものはないように思われる。内閣府が２０１８年に公表した「年次経済財政報告」によれば、「我が国のイノベーション活動について、企業規模別にみると、大企業が67％、中小企業が47％となっており、欧州の主要国が大企業で80％台から90％台、中小企業で60％台から70％台となっていることと比較すると、日本は大企業、中小企業ともに相対的に実現割合が低いことが分かる」とある。

いささか私が驚いたのは、欧州の大企業80％から90％もイノベーティヴだとカウントする安易さだった。なるほど私が高レベルを考えていただけでイノベーションとは安売りされるものらしい。

さらに、報告をよく読んでみると、〈「自社にとって新しいものや方法の導入」であり、たとえ他社が先に導入していても自社にとって新しければイノベーションにカウントされる〉とある。これだけ技術が成熟した日本で前述の比率に達するとは、日本もなかなか捨てたものではない、としか解釈できなかった。

また、固有名詞は省くが財務省は、2017年に生産性・イノベーション関係指標の国際比較を説明した報告書のなかで、「イノベーションを実現した企業の比率は他の先進国と比較して低い」としている。ただ、商品のイノベーションレベルは、日本と米国がほぼ同じと位置づけられている。フェイスブックも、グーグルも、iPhoneもあの金融ジャンク債も、すべて米国から出てきているのに、これはどうしたことだろう。こうした混乱は、イノベーション定義の問題から来ている。

ただ、どの調査を見ても、日本「のみ」イノベーションが生まれないという言には、主張者の勘違いか思い込みが作用していると判断するしかない。冷静に見れば、「たしかに、米国のように革新的なプロダクツを生み出してはいないから日本にイノベーティヴなイメージはない」「それでも卑下するような状況にはない」と考えるのが正しいだろう。

閉塞感を打破できないのはむしろ雇用の流動性のなさが原因

ところで、ここまで書くと、私は「日本企業賛美論者」と思われるだろう。しかし、そうではない。私は**日本企業の問題点は、オープン性だとか、イノベーションなどにあるのではなく、雇用の流動性の低さにあると感じている。**多くの調査によっても、日本人は長期雇用を前提とし、さらに、実際に長く同一企業で働いている。

私は社会人になってまもなくダニエル・ピンク『フリーエージェント社会の到来』を読んで衝撃を受けた。米国では四人に一人がフリーランスの道を選んでいるという。自宅を使って、ネットでクライアントとつながり、自由を謳歌する生き方。雇われる不安と拘束から逃れて、プロフェッショナルとして自律・自立する。

しかし、私が見た会社員時代の同僚は、良くも悪くも会社から独立するなんてことは考えてもいないようだった。正直に告白すれば、その同僚たちの態度に疑問をもっていた。ただし、会社員の傍らで個人として活動するようになってから、ダニエル・ピンクの述べる理想像に達するのは難しいとわかってきた。それは、本章で述べたような理由による。どこの馬の骨かもわからない人間に注文する企業はいない。

こうした状況を打破するためには、発注元から指名で大きな仕事を振ってもらえるように、誰もが認めるくらいその実力を示すしかない。そうしないと、フリーは自由ではなく、タダ働きの意味になってしまう。会社員よりも不自由な状況になりかねない。

私は、電機メーカー、自動車メーカー、コンサルティング会社と転職して、その過程で自分の無力さと市場価値のなさに気づいた。そこで徐々に、徐々に、実力をつけていった。たぶん、一つの会社に居続けた場合は、自分を客観視できなかっただろう。

日本企業は外部に、思いのほか開けている。企業間の交流もさかんだ。さらに、**イノベーションも悲観するレベルではない。**しかし、それでもなお、なぜだか**日本人が社会に閉塞感や行き詰まり感を抱いているのだとすれば、それは自分自身の閉塞感や行き詰まり感であるに違いない。**

なぜなら、自分自身が相当な成長を遂げたり、挑戦を続けたりしているとき、社会に閉塞感を抱くことはないだろうから。まずは自分で変化してみる。きっと、それが社会に抱く閉塞感と閉鎖性を突き破ることになるだろう。

▼日本は思ったより悪くないから、
あとは自分次第と知る。

13 おわりに

時間との闘い

「実は、トップニュースが変わってしまいまして」

「これから、このニュースについてインタビューできますか」

「この事象について報告しなきゃいけなくなったんだけど」

テレビの情報番組に出演しているとき、本番の10分前に取り扱うニュースが変わるのは日常茶飯事だ。と思えば、ラジオのディレクターから、ついさっき起きた事件へのコメントを求められる。さらに、コンサルティングのクライアントからは、翌日に使用する予定だった資料を捨てて新たなトピックで社長に報告せねばならないと相談がある。

時間は限られている。

それぞれ、選択肢は二つある。そのまま素で向かうこと。そして、ギリギリまで抗うことだ。抗うとは、何もしない場合の結果を、すこしでも向上させようともがくことだ。想像もしなかった質問が飛んできてたじろぐことも少なくない。ただ、多くの場合は、抗ったゆえに、なんとかその場を乗り切れる。

私たち社会人は大人だから、つまらないコメントをしても「つまらない」とはいわれない。中途半端なことをインタビューで答えて「それ誰でもいえますね」とはいわれない。酷い資料を客先に出しても、資料をビリビリに破かれて顔面に投げつけられた経験はない。単に次から仕事がなくなるだけだ。

相手から声がかかるけれど、仕事を切るのも相手だ。厳しいようだが、私は意外にもこの冷たい世界が気に入っている。不思議な表現かもしれないが、ギリギリで葛藤したり、焦ったりする際に、なぜか情報収集の能力があがる気がするからだ。

抗うとは、パルチザンだ。パルチザンは少数の武器で闘ったが、私も情報収集をして分析をする頭脳しか武器がない。何もないなかで、誰かがお金を払うに値する価値をつくるしかない。ただ、その武器によって、現状に対抗できるようになる。そして、私は対抗したい。

私は、現場に向かう。その現場は、テレビやラジオだったり、雑誌のインタビューだったり、何が飛んでくるかわからないコンサルティングの場だったりする。うまくいけば、安堵といくばくかのお金を手にする。うまくいかねば、後悔と暇が待っている。私は必然的に、何かを調べて、何かを発する行為を繰り返してきた。

データ収集力は模倣から

何度も書くが、私はコンサルティング業務に従事している。コンサルタントは、よく口先だけだとか、責任を取らないくせに、と批判される。それはもっともであるものの、口先だけにお金を払う余裕のある企業はほとんどない。さらに成果報酬型の案件が増えているから、成果が出なかったら、責任は負わない代わりに、報酬がない。

誰もバカではないから、相手を動かして、そして成果を上げ続けないとならない。ところで、他者に納得してもらい、そして動いてもらうためには、どうすればいいだろうか。私は「へー」と「なるほど」といってもらうのが重要だと考えている。「へー」とは、誰も知らなかった事実を示すこと、「なるほど」とは、そこから導く考察を示すことだ。

よく、テレビのコメンテーターは、政府の政策決定にたいして「もっと多くの議論が必要だ」と語る。しかし、一手間をかければわかるように、専門家会議で凡人が思いつくらいの議論は繰り返されている。そして、データもたくさん使われている。見ていないだけだ。

私が勧めたいのは、なにか調べ物をするときには、公的なデータにあたることだ。あなたが悩んでいる課題は、世界の誰かも悩んでいる。そして、丁寧にも、データを調べて公開しているひとがいる。そして、多くは行政が代理してくれている。まずはそれを見よう。

もしかしたら、本を読んでいるときに面白いグラフなどに出会うかもしれない。時間があれば、そこで引用されているデータ元を調べてみよう。現代では、ネットで多くを拾える。データの引用者がグラフを作成した過程を真似してみよう。何度か繰り返せば、著者のデータ引用手法が手に入る。

個人的には、経済学者・野口悠紀雄さんの本を読むとき、私も同じグラフを作成できるか試すようにしている。氏は法人企業統計などの公的データから、意外な事実を明らかにするが、本書の手法論も氏から影響を受けている。他にも、経済学者・水野和夫さんなど引用元を明確にして、かつ一般書を出している著者は多くいる。すべては難しくても、気になった内容だけ、引用元にあたりデータを探すだけで、データ収集スキルがあがっていく。

空気に水を差しながら意見を述べること

そして、データとともに本書で提示したのは、「なるほど」を導く考察だ。たとえば、本書では、中国食品の品質がさほど悪くないと紹介した。そのときに、細かな数字を覚える必要はない。ざくっと、中国は他国と比してひどくない、と理解するだけでいい。そのときに、「中国の食品を選択してもいい」がレベル1。「中国産の食品はあまりに多すぎるから、数でいえば、ひどい品質のものが目立つのは必定だ」がレベル2。「とはいえ、中国産の食品に不安を感じる人が多いのも事実。だから、他国と並行調達しながら、消費者の納得を得るべきだ」がレベル3くらいだろうか。

この「だから何をすればいいか」まで持ち込まなければならない。というのも、ビジネスの多くの現場では、情報をほとんどもっていないのに、声の大きいひとの主張が強いために通る場合がある。情報だけではダメだ。情報だけでは声の大きさに負けてしまう。「何をすればいい」がなければ弱い。

おなじくレベル分けすれば「感覚で物をいう」がレベル1。「データを把握して説明する」がレベル2。そのうえで「自分のオリジナルな意見をいう」がレベル3だろう。ちなみに、テレビやラジオに接する際に、この区分けを意識しておけば、意外なほどレベル2にとどまっている解説者は多いと気づくだろう。

しかし、この〝自分の意見〟が難しい。というのも、日本人は自分の考えを語ることを訓練していない。私も新卒で入った企業では、「あなたの意見を述べよ」ともいわれなかった。空気で物事が決まっていくからだ。山本七平さんは、空気に水を差すと表現したが、たとえば会議などで水を差すのは難しい。

ただダイバーシティーが叫ばれ、いろいろなバックグラウンドをもつ人たちと仕事をしたり、働く環境が次々と変わったりする現代では、空気ではなく事実をベースにした独自の意見が価値をもつようになる。新型コロナウィルスではＺｏｏｍやＴｅａｍｓなどのテレビ会議が興隆した。テレビ会議では参加者がフラットに扱われ、役職の上下に関係なく、発言がコンテンツの優劣によって評価されるようになった。この傾向は続くだろう。

そして、年齢や役職に関わりなく、内容で評価される社会は健全だと私は思う。さらに、その気になれば、いまでは各種のデータ入手も容易になっている。自分でデータにあたって、自分なりに考えていくと、これまで常識と思っていたことが覆ることがあるだろう。それを私は愉悦と考えている。

なお、本書は1年以上の時間をかけて執筆することになった。長い時間をかけて伴走いただいた幻冬舎・竹村優子さんと、各種データを発信している多くの企業や団体にお礼を申し上げたい。

参考資料

●1

法人企業統計調査
https://www.mof.go.jp/pri/reference/ssc/index.htm
三品和広『経営戦略を問いなおす』（ちくま新書）
東京都産業労働局「東京の中小製造業の経営実態」
https://www.sangyo-rodo.metro.tokyo.lg.jp/toukei/chushou/genjou30_no2.pdf
公正取引委員会「製造業者のノウハウ・知的財産権を対象とした優越的地位の濫用行為等に関する実態調査報告書」
https://www.jftc.go.jp/houdou/pressrelease/2019/jun/190614_files/houkokusyo.pdf

●2

公益財団法人 日本生産性本部「労働生産性の国際比較 ２０１９」
https://www.jpc-net.jp/research/list/pdf/comparison_2019.pdf
門倉貴史『ホワイトカラーは給料ドロボーか？』（光文社新書）

●3

株式会社日本信用情報機構「貸金業法対象情報（無担保無保証）」
https://jicc.co.jp/vcms_lf/touroku1.pdf

政府統計の総合窓口（e-Stat）「平成26年全国消費実態調査」
https://www.e-stat.go.jp/stat-search/files?page=1&layout=datalist&toukei=00200564&tstat=000001073908&cycle=0&tclass1=000001073965&tclass2=000001080904&tclass3=000001080907

小池拓自『家計の保有するリスク資産―「貯蓄から投資へ」再考―』
https://dl.ndl.go.jp/view/download/digidepo_999588_po_070404.pdf?contentNo=1

日本銀行情報サービス局　福原敏恭「日米家計のリスク資産保有に関する論点整理」
https://www.boj.or.jp/research/brp/ron_2016/data/ron160224a.pdf

国土交通省「地価公示」
https://www.mlit.go.jp/totikensangyo/totikensangyo_fr4_000034.html

S.Ziolkowski for the Gaming Technologies Association「The World Count of Gaming Machines 2017」
http://gamingta.com/wp-content/uploads/2018/08/World_Count_2017.pdf

厚生労働省「ギャンブル等依存症対策推進基本計画について」
https://www.mhlw.go.jp/content/12601000/000520870.pdf

有限責任　あずさ監査法人「ＩＲにおけるギャンブル等依存症対策」
http://www.pref.hokkaido.lg.jp/kz/kkd/seminarizon.pdf

独立行政法人　労働政策研究・研修機構「２０１７データブック　国際労働比較」
https://www.jil.go.jp/kokunai/statistics/databook/2017/documents/Databook2017.pdf

地震調査研究推進本部「今後30年間に震度５弱以上の揺れに見舞われる確率」
https://www.jishin.go.jp/main/chousa/18_yosokuchizu/yosokuchizu2018_chizu_2.pdf

●4

中小企業庁「２０１７年版　中小企業白書」

https://www.chusho.meti.go.jp/pamflet/hakusyo/H29/h29/html/b2_1_1_2.html
中小企業庁「２００５年版 中小企業白書」
https://www.chusho.meti.go.jp/pamflet/hakusyo/h17/hakusho/html/17s11000.html
総務省統計局統計調査部長　會田雅人「統計 Today　No.82」
https://www.stat.go.jp/info/today/082.html
中小企業基盤整備機構「２００４年度 米国中小企業の実態と中小企業政策」
https://www.smrj.go.jp/doc/research_case/h16_USA.pdf
松本和幸「企業数と新規開業率の国際比較」
https://rikkyo.repo.nii.ac.jp/?action=pages_view_main&active_action=repository_view_main_item_detail&item_id=5326&item_no=1&page_id=13&block_id=49
中小企業庁「２０１４年版　中小企業白書」
https://www.chusho.meti.go.jp/pamflet/hakusyo/H26/PDF/07Hakusyo_part3_chap2_web.pdf
厚生労働省「平成30年版 労働経済の分析」
https://www.mhlw.go.jp/wp/hakusyo/roudou/18/dl/18-1.pdf
株式会社リクルートキャリア「就職白書２０１８」
https://www.recruitcareer.co.jp/news/20180215_01.pdf

● 5

日本取引所グループ「投資部門別 株式売買状況 東証第一部［金額］全49社」
https://www.jpx.co.jp/markets/statistics-equities/investor-type/nlsgeu000004hlya-att/stock_val_1_y19.pdf
日本取引所グループ「投資部門別 株式売買状況 東証第一部［株数］全49社」
https://www.jpx.co.jp/markets/statistics-equities/investor-type/nlsgeu000004hlya-att/stock_vol_1_y19.pdf

経済産業省「持続的成長に向けた企業と投資家の対話促進研究会 報告書（別冊）」
https://www.meti.go.jp/committee/kenkyukai/sansei/jizokutekiseicho/pdf/report01_02_00.pdf
内閣府「平成30年度子ども・若者の状況及び子ども・若者育成支援施策の実施状況」
http://www.shugiin.go.jp/internet/itdb_gian.nsf/html/gian/gian_hokoku/20190618kodomogaiyo.pdf/$File/20190618kodomogaiyo.pdf
Charities Aid Foundation「CAF WORLD GIVING INDEX 2018」
https://www.cafonline.org/docs/default-source/about-us-publications/caf_wgi2018_report_webnopw_2379a_261018.pdf?sfvrsn=c28e9140_4
中根千枝『タテ社会の人間関係』（講談社現代新書）
土居健郎『「甘え」の構造』（弘文堂）
ルース・ベネディクト『菊と刀』（講談社学術文庫）
Gallup, Inc.「The State of the Japanese Workplace」
https://www.ilo.org/wcmsp5/groups/public/---asia/---ro-bangkok/---ilo-tokyo/documents/genericdocument/wcms_558094.pdf

●6

中小企業庁「中小企業白書 ２００６年版」
https://www.chusho.meti.go.jp/pamflet/hakusyo/h18/H18_hakusyo/h18/index.html
中小企業庁「中小企業白書 ２０１８年版」
https://www.chusho.meti.go.jp/pamflet/hakusyo/H30/PDF/chusho/00Hakusyo_zentai.pdf
内閣府「平成25年度 年次経済財政報告」
https://www5.cao.go.jp/j-j/wp/wp-je13/pdf/p02011.pdf

㈱東京商工リサーチ「倒産月報」
㈱東京商工リサーチ「倒産・生存企業　財務データ比較　最新期当期利益『黒字・赤字』構成比」
㈱東京商工リサーチ「２０１８年『休廃業・解散企業』動向調査」
https://www.tsr-net.co.jp/news/analysis/20190121_01.html
商工中金「中小企業の海外進出に対する意識調査」
https://www.shokochukin.co.jp/report/data/assets/pdf/cb18other05_01.pdf
経済産業省「海外事業活動基本調査」
https://www.e-stat.go.jp/stat-search/files?page=1&layout=datalist&toukei=00550120&kikan=00550&tstat=000001011012&cycle=7&tclass1=000001023635&tclass2=000001129415&stat_infid=000031822636
公益財団法人 全国中小企業取引振興協会「規模別・業種別の中小企業の経営課題に関する調査」
http://www.zenkyo.or.jp/chiiki/docs/chosa/houkoku_h27.pdf
政府統計の総合窓口（e-Stat）「本社企業に関する集計表」
https://www.e-stat.go.jp/stat-search/file-download?statInfId=000031826637&fileKind=0
中小企業庁「中小企業白書　２０１６年版」
https://www.chusho.meti.go.jp/pamflet/hakusyo/H28/h28/html/f01.html

● 7

日本貿易振興機構（ジェトロ）「２０１８年の日中貿易」
https://www.jetro.go.jp/ext_images/_Reports/01/275fdcb1f46d0f9f/20180049.pdf
厚生労働省「平成29年度 輸入食品監視統計」
https://www.mhlw.go.jp/content/000350783.pdf

東京都福祉保健局「食品衛生の窓　平成26年度　違反調査結果」
https://www.fukushihoken.metro.tokyo.lg.jp/shokuhin/ihan/H26.html
一般社団法人 FOOD COMMUNICATION COMPASS 消費生活コンサルタント 森田満樹「輸入食品は安全なの？─消費者として知っておきたいこと─」
https://www.mhlw.go.jp/file/06-Seisakujouhou-11130500- Shokuhinanzenbu/0000150096.pdf
三井住友銀行（中国）有限公司「中国製造業の現況と見通し」
https://www.smbc.co.jp/hojin/report/investigationlecture/resources/pdf/3_00_CRSDReport076.pdf
映画『バック・トゥ・ザ・フューチャー PART 2』
日本貿易振興機構（ジェトロ）「投資コスト比較」
https://www.jetro.go.jp/world/search/cost/

● 8

経済産業省「電子商取引に関する市場調査の結果を取りまとめました」
https://www.meti.go.jp/press/2019/05/20190516002/20190516002.html
国土交通省「宅配便取扱個数の推移」
https://www.mlit.go.jp/report/press/content/001310399.pdf
公益社団法人 全日本トラック協会「日本のトラック輸送産業 現状と課題２０１８」
http://www.jta.or.jp/coho/yuso_genjyo/yuso_genjo2018.pdf
Google Public Data「国内総生産」
厚生労働省「産業社会の変化と勤労者生活」
https://www.mhlw.go.jp/wp/hakusyo/roudou/10/dl/02-1-1.pdf
国土交通省「トラック運送業の現況について」

https://www.mlit.go.jp/common/001225739.pdf
法人企業統計調査
https://www.mof.go.jp/pri/reference/ssc/index.htm
国土交通省「物流を取り巻く現状について（平成29年２月）」
https://www.mlit.go.jp/common/001173035.pdf
首藤若菜『物流危機は終わらない――暮らしを支える労働のゆくえ』（岩波新書）
船井総研ロジ『図解入門業界研究 最新物流業界の動向とカラクリがよ〜くわかる本［第４版］』（秀和システム）

●9
国土交通省 気象庁「全地域の一覧表示」
https://www.data.jma.go.jp/gmd/cpd/cgi-bin/view/allhist.php?reg_no=36&year=0&month=0&kind=0&elem=1
法人企業統計調査
https://www.mof.go.jp/pri/reference/ssc/index.htm
国土交通省 気象庁「主な地点の平年値」
https://www.data.jma.go.jp/gmd/cpd/monitor/mainstn/nrmlist.php

●10
政府統計の総合窓口（e-Stat）「統計でみる都道府県のすがた２０１９」
https://www.e-stat.go.jp/stat-search/files?page=1&layout=datalist&toukei=00200502&tstat=000001124677&cycle=0&year=20190&month=0&tclass1=000001124955

「Wikipedia 掲載率」
https://ja.wikipedia.org/wiki/%E3%83%A1%E3%82%A4%E3%83%B3%E3%83%9A%E3%83%BC%E3%82%B8
厚生労働省「人口動態調査」
https://www.mhlw.go.jp/toukei/list/81-1.html
政府統計の総合窓口（e-Stat）「人口推計」
https://www.e-stat.go.jp/stat-search/files?page=1&layout=datalist&toukei=00200524&tstat=000000090001&cycle=7&year=20170&month=0&tclass1=000001011679

●11

アップル「サプライヤー責任」
https://www.apple.com/jp/supplier-responsibility/
リクルートワークス研究所「個人のキャリアを豊かにする 企業の社会貢献活動」【個人の社会貢献活動】
https://www.works-i.com/research/works-report/item/190304_vl2020.pdf
厚生労働省「年代別献血者数と献血量の推移」
https://www.mhlw.go.jp/stf/seisakunitsuite/bunya/0000063233.html
政府統計の総合窓口（e-Stat）「人口推計」
https://www.e-stat.go.jp/stat-search/files?page=1&layout=datalist&toukei=00200524&tstat=000000090001&cycle=7&year=20170&month=0&tclass1=000001011679
公益財団法人 日本生産性本部「２０１８年度 新入社員 春の意識調査」
https://www.jpc-net.jp/research/assets/pdf/R37attached.pdf
公益財団法人 日本生産性本部／一般社団法人 日本経済青年協議会「平成30年度 新入社員『働くことの意識』調査結果」
https://www.jpc-net.jp/research/assets/pdf/R36attached.pdf

●12

延岡健太郎「オープン・イノベーションの陥穽」

李紅蘭（広島大学・院）「自動車多国籍企業の戦略転換―中国民営自動車企業の急成長の実態分析を通して―」
https://www.jstage.jst.go.jp/article/jamsjsaam/13/0/13_197/_pdf/-char/en

一般社団法人 情報処理学会 正会員 腰山信一「自動車部品産業とグローバル戦略」
http://itlib1.sakura.ne.jp/test380/pdfchuran/0601/601-jidoshabuhin-G-1090p-1.pdf

一般社団法人 プロフェッショナル&パラレルキャリア・フリーランス協会「フリーランス白書２０１９」
https://blog.freelance-jp.org/wp-content/uploads/2019/03/freelancehakusho2019_suvey20190306.pdf

日本貿易振興機構（ジェトロ）「ジェトロ世界貿易投資報告２０１９年版」
https://www.jetro.go.jp/ext_images/world/gtir/2019/dai2.pdf

財務総合政策研究所 酒巻哲朗「生産性・イノベーション関係指標の国際比較」
https://www.mof.go.jp/pri/research/conference/fy2017/inv2017_03_02.pdf

内閣府「平成30年度 年次経済財政報告」
https://www5.cao.go.jp/j-j/wp/wp-je18/h03-02.html

ダニエル・ピンク『フリーエージェント社会の到来』（ダイヤモンド社）

●その他、すべてにわたって

ハンス・ロスリング、オーラ・ロスリング、アンナ・ロスリング・ロンランド『FACTFULNESS（ファクトフルネス）10の思い込みを乗り越え、データを基に世界を正しく見る習慣』（日経ＢＰ）

小池和男『なぜ日本企業は強みを捨てるのか』（日本経済新聞出版）

中野剛志『真説・企業論　ビジネススクールが教えない経営学』（講談社現代新書）
松岡真宏『持たざる経営の虚実 日本企業の存亡を分ける正しい外部化・内部化とは？』（日本経済新聞出版）
松岡真宏『逆説の日本企業論――欧米の後追いに未来はない』（ダイヤモンド社）
門倉貴史『本当は嘘つきな統計数字』（幻冬舎新書）
スティーヴン・D・レヴィット、スティーヴン・J・ダブナー『ヤバい経済学〔増補改訂版〕―悪ガキ教授が世の裏側を探検する』（東洋経済新報社）
スティーヴン・D・レヴィット、スティーヴン・J・ダブナー『超ヤバい経済学』（東洋経済新報社）
フィル・ローゼンツワイグ『なぜビジネス書は間違うのか』（日経ＢＰ）

日本音楽著作権協会（出）許諾第２００７５３１―００１号

坂口孝則（さかぐち・たかのり）

調達・購買コンサルタント／未来調達研究所株式会社所属／講演家。2001年、大阪大学経済学部卒業後、電機メーカー、自動車メーカーに勤務。原価企画、調達・購買、資材部門に携わる。製造業を中心としたコンサルティングを行う。著書は、『牛丼一杯の儲けは9円』『営業と詐欺のあいだ』『1円家電のカラクリ　0円iPhoneの正体』『仕事の速い人は150字で資料を作り3分でプレゼンする。』『未来の稼ぎ方』（すべて幻冬舎）、『調達力・購買力の基礎を身につける本』『調達・購買の教科書』『調達力・購買力の強化書』（すべて日刊工業新聞社）、『ドン・キホーテだけが、なぜ強いのか？』（PHP研究所）、『日本人の給料はなぜこんなに安いのか』（SBクリエイティブ）など30冊を超える。「スッキリ」をはじめテレビやラジオのコメンテーターとしても活躍。

稼ぐ人は思い込みを捨てる。

みんなの常識から抜け出して日本の真実を見るスキル

2020年10月10日　第1刷発行

著　者　坂口孝則
発行人　見城 徹
編集人　菊地朱雅子
編集者　竹村優子

発行所　株式会社 幻冬舎
〒151-0051 東京都渋谷区千駄ヶ谷4-9-7
電話 03(5411)6211(編集)
03(5411)6222(営業)
振替 00120-8-767643

印刷・製本所　中央精版印刷株式会社

検印廃止

ISBN978-4-344-03646-8 C0095
幻冬舎ホームページアドレス　https://www.gentosha.co.jp/

この本に関するご意見・ご感想をメールでお寄せいただく場合は、
comment@gentosha.co.jpまで。